不登校生が留学で
見つけた
自分の居場所

赤井 知一
酒井 邦彦 著

学びリンク

はじめに

「近年留学はとても身近なものになりました。しかしながら、留学は簡単に実現し成功するものではありません。言葉の壁、親元を離れての自立、メンタル面、生活リズムの改善、受け入れ先の確保、経済面などいくつものハードルがあります。私たちが今までさまざまな子どもたちをサポートしている中で、留学を成功させるうえで一番重要なことは『出発前の心の準備』であると確信しました。その心の準備をすることで、これらのハードルを下げ安心して留学ができるのです」――これが私たちの基本姿勢（理念）です。

私は高校1年生の時にアメリカへ2週間の短期留学、大学卒業後にオーストラリアへ約2年間の留学をし、帰国してから現在まで25年以上にわたり留学サポートに従事してまいりました。そこでさまざまな子どもたちに出会い、一人ひとりに合った留学プランを提示し5000人以上の留学を実現してきました。その中には、先生や友だち、先輩との確執、学校教育に合わない、起立性調節障害や発達障害により不登校になった子どもたちも多く含まれ、不登校の子どもたちは年々増加傾向にあります。

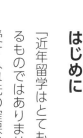

２０１９年度文科省統計データによりますと、小学生で5万３０００人、中学生で12万８０００人、高校生は5万人で合計23万人以上の子どもたちが不登校になっています。特に中学生は12万８０００人と最多で、中学生人口の３・９％が不登校になっており、前年に比べても約7％増えています。不登校の理由は友人関係がトップで、次に学校の規則や教育の在り方に合わない、学業不振、部活動でのトラブルが挙げられています。

私は中高生の進学ガイダンス「通信制高校合同相談会」（全国で年30か所実施）で留学講演会（テーマ：「不登校からの留学~海外の学校という選択」）に登壇し、留学相談ブースを設置しています。不登校になった子どもたちとその保護者の方は中学卒業後や今の高校に合わず、その先の進路として通信制高校を選択肢の一つとしてこの相談会に足を運びます。会場内で初めて「留学」という言葉を目にして講演会を聞き、恐る恐る留学相談ブースにやって来ます。海外は個性を尊重し、得意を伸ばす教育、空気を読むといった煩わしい習慣はなく日本とはまったく異なります。そういった海外に居場所を見つけ、今までまったく選択肢になかった「留学」という道を知り、もがき苦しんでいた出口の見えないトンネルに、明るい光が見えたと涙する親子をたくさん見てきました。

冒頭の『出発前の心の準備』とは、６つのサポートを通して進めていきます。詳細は本編にてご説明いたします。

それでも留学中は本当にいろいろなことが起こります。同じ事例は二つとしてありません。子どもたち一人ひとりに寄り添い、自分で乗り越えられるようサポートし帰国まで辿り着きます。

海外の高校を卒業することは、たくさんの選択肢を生みます。帰国生入試で日本の大学へ進学する、海外で学んだからこそ生まれた興味や得意を活かし、想像もしていなかった方向へ進む子どもたちがいます。

以前にお世話した不登校生のお母さんから「日本では不登校でしたが、留学中は水を得た魚のように自分らしく生き生きと過ごしていました。帰国後はやりたいことが見つかり、それに向けて突き進んでいます」と報告をいただきました。

この留学がまさに人生のターニングポイントになったのだと思います。

この本を手に取ってくださった方々に、子どもたちの居場所や学ぶ場所は日本だけではないということを知っていただき、子どもたちが自分らしく生き生きと過ごせることができれば本当に嬉しく思います。留学が人生のターニングポイントになるよう私たちは偏見を持たず、寄り添い、応援してまいります。

(株)ターニングポイント代表　赤井　知一

目次

第2章 自分の学びを取り戻した留学生たちの記録

第3章 主要コース別の国内準備と海外生活サポート

第4章 経験談から覗く留学のメリットとデメリット

第5章　高校留学の基本データ

第1章

不登校生の現代留学事情

留学パターンはさまざま。
自分の居場所を探して
海外で学ぶ人は多いです。

1 相談会からまさかの留学

全国30か所で開催されている「通信制高校合同相談会」では、何らかの理由で学校へ通えなくなった中高生に、彼らの学びの場にふさわしいさまざまなタイプの通信制高校を「進路の選択肢」として案内しています。年間1万4000人以上の主に中学3年生を中心とした子どもたちやその家族が訪れ、各高校の相談ブースに立ち寄ったり、卒業生の体験談を熱心に聞き入る姿が見受けられます。その合同相談会の一角に、私たち（株式会社ターニングポイント）は全国すべての会場でやや異彩を放つ存在として「海外留学」を来場者に紹介し続けています。ちなみに留学相談数は年間300件を超えます。

その中で一つ、私たちが印象に残る事例に触れると、関西で行われた合同相談会にお越しになられたお母さん2人組の話です。留学相談ブースに座るや否や「私たちは近所に住むママ友で、子どもの年は1つ違いで男子と女子です。2人とも不登校なの」と始まりました。一通り留学についての説明をすると1人のお母さんは「そんな道もあるんやね。そんで、なんで『不登校』の子どもたちを専門に留学を紹介しているんです?」と聞いて来ました。そこで私たちはある不登校の男子の話を交えて説明をすることに。もともと私たちが一般的な留学会社に勤めていたころ、母子で来られた方に相談に入る前にカウンセリングシート（個人情報や希望する国や出発時期などを記入するシート）に一通り記入してもらいました。当然と言えば当然なのですが、「不登校について」や「障害の有無」についてはどこにも触れるところはありません。留学に行きたいという気持ちがあるからココに来ているという前提で話は進んでいきます。そして学校も決まり出発日も決まり、留学の手配は順々に進み、無事に出発することとなりました。しばらくして、語学学校からその子が最近学校に来ていないという連絡が入りました。現地スタッフから本人に電話してもらっても通じず、ホームステイ先に電話して事態が分かりました。「部屋から出られない状況」に陥ってしまっていたのです。そこで、家族に連絡を取ると、お母さんは重たい声で「実は、日本でも不登校でして…」と聞かされることとなりました。

その苦い経験から前述の留学会社が取った方針は「今後、不登校や障害を持った方の相談はお断り」という私たちが思っている方向とは逆の方へ舵を切り始めました。この舵の切り方、向かう方向には到底納得がいきませんでした。逆にそういった少し配慮の必要な方たちのために、話しやすく言い出しやすい環境を整え、その方の特徴や気質（不登校であることや障害があること）に寄り添うことからスタートし、そういった子どもたちにこそ海外の素晴らしさを知ってもらい、「日本だけしか知らなかったけど世界は広いんだなあ」と気づいて欲しいと、私たちはターニングポイントという名で一から会社を立ち上げました。そう伝えると「あー、楽しかった。良い話を聞かせてもらいました」と立ち去って行きました。話はここで終わりません。それからしばらくして、そのお母さんからメールが届きました。「一度息子に会って、私たちに話してもらったことをもう一度話していただけませんか?」と。残念ながら約束した日に会場に現れたのはお母さんだけでした。でもその日からそのお母さんとメールのやり取りが続くことになりました。

今まで数多くの不登校生の保護者の方とお会いしてきました。その中には、留学を実現した方ばかりではないのはお分かりのことと思います。ただ子どもが留学を実現した保護者のみなさんの中には、「明るい方」も多いというのが私たちの率直な印象でした。それはなぜだろうと考えた時、私はこのお母さんを思い出したのです。「親が先走りしてはいけないと思っていますが、情報は与えてあげたいし、いろんな選択肢があることを知って欲しい、まだまだこれから明るい未来があることを分かって欲しいと思うのです…。子どもが不登校のママ友とも知り合うようになり随分と明るくなったと思います。それでも、ここに辿り着くまで自分を責めて悩んで苦しんで、涙もいっぱい流してきました」とメールには書かれていました。あの明るさの裏には多くの涙があったのです。家庭の事情はさまざまなので良い悪いではありませんが、家族として近くにいる方の笑顔は欠かせない、そして私たちは、その家族に寄り添える存在になれるのではと思うようになりました。実はその息子さんですが、このコロナ禍でも留学へ向け準備を着々と進めています。

この事例のほか「通信制高校を探しに来たのに、海外留学するなんて不思議」「通信制高校の仕組みを知り、通信制に在籍しながら留学できる方法があるとは」「講演を聞いてうちの子は留学に向いているかも」と実にさまざまな声が寄せられます。私たちはこういった相談会を通じて、日本の教育、先生の立ち位置、交流関係、上下関係などに合わない子どもたちが多くいることを実感しています。またそれがきっかけで不登校になるケースが多いのも現実です。日本ではたまたま居心地が悪く居場所がないなあと感じていたのに、今までとはまったく違った海外での環境と教育方針に適合し、不登校だった子どもたちが海外では解放され、自由に学べるようになったという例が実際にあります。私たちは、我慢や無理をしてストレスを溜め、日本にだけ学びを求める必要はないと考えています。

なぜ、留学か？――それは「価値観の多様化に触れ、個性を大切にし得意を伸ばす海外の教育環境の中で、自分の居場所を見つけ、また実際に親元を離れることで自立する。これらを実現する留学という学び方は、新しい自分を見つける（生まれ変わる）ターニングポイントになるはずです」。今回、留学という学び方が多様化している現実、その素晴らしさ、留学で得られる可能性を、主に留学する子とその家族の声から読み取っていただき、留学を選択する一助になればと思います。

2 自立できる海外留学の環境って

いろいろな事情で学校に行けなくなってしまった子どもの中には「学校に行きたいんだけど行けない」という子どもが内在しています。日本財団の『不登校傾向にある子どもの実態調査（2018年）』によれば、不登校になった2割が「それでも学校へ行くべき」と思いつつも通えていないという、つらい現実が日本の公教育の中に存在していることが浮き彫りになっています。さらに「不登校または不登校傾向にある現中学生と卒業生」に学びたいと思える場所について聞いています。「自分の好きなことを突き詰めることができる場所」「自分の学習のペースにあった手助けがある場所」「常に新しいことが学べる場所」「クラスや時間割に縛られず、自分でカリキュラムを組むことができる場所」という順に回答が集まっています（※不登校とは年間30日以上の欠席を言います）。

実は「海外の学校」にはこれらの要素が詰まっています。好きなこと得意なことをさらに伸ばし、自分のペースを大切にして学ぶこともできます。そして日本では想像もできないくらいの多様な専門科目が充実していて、新しいことを学ぶチャンスがあり、好きな教科、興味のある教科に向き合えます。

高校からの留学先5か国について国ごとの教育環境の特徴について触れてみたいと思います。

アメリカ

アメリカの高校の授業ではグループワークやディスカッションが中心となり、自ら発言することが重視された授業になります。これは他国と比べアメリカはより強い傾向にあります。また、早い時期から自立させる教育でもあるため、日本の子育て文化と大きく異なります。日本にいる間にしっかり自立をしてから留学しないと、留学生活はうまくいきません。高校を卒業する目的の場合、私立高校へ入学することになりますが、短期的な体験留学や交換留学（1年未満）を公立高校も受け入れてくれます。入学基準は学校により異なりますが、かなりの英語力を要求されますので、新学期の9月に合わせた対策として中学卒業後渡米し、4月〜8月末まで英語コースを受講します。

カナダ

　カナダの高校では、選択科目を中心に自分の将来に向けて必要な科目を取っていきます。体験留学や交換留学、卒業目的の留学でも公立、私立の学校が選べます。教育水準が高い国ですので、授業についていくのは大変なことですし、留学生に求める英語力も高く、十分な英語力がつくまで英語クラスを受講するため、卒業が遅くなるケースも見受けられます。しかし、やさしく外国人（留学生）を受け入れてくれるカナダは、悩みを持った不登校の子どもたちに理解を示し温かく迎えてくれます。以前に発達障害を持ち不登校になった子どもを理解し、特別なカウンセラーを専属でつけて受け入れをしてくれた高校がありました。その子どもはそのサポート体制に安心し、留学を決断することができたのです。入学基準は、今までの成績などを重視する学校もあれば、成績や出席率が悪くても入学を許可してくれる学校もあります。

　私たちがサポートしている子どもが通信制高校に所属しながら、カナダへ語学留学をしています。日本の高校卒業資格が欲しくて通信制への入学を決めたのですが、将来はプログラマーになりたいという夢があり、そのためには英語を習得したいと思い、留学を柔軟に考えてくれる通信制を選びました。留学する前にできる限り学校のレポートを済ませることで、現地では英語の勉強に集中することができ、生活リズムやモチベーションをうまく保てています。

オーストラリア

オーストラリアの高校は大学進学に向けた授業のほかに、将来の仕事に必要なスキルを学ぶ科目がとても多くあり、興味がある好きな科目を選択していきます。かなり本格的に学べる科目もありますので、高校卒業後そのまま就職する学生も一般的です。体験留学や交換留学、卒業目的の留学でも公立、私立の学校が選べます。

入学基準は、学校により異なりますが、今までの成績などを重視する学校もあれば、成績や出席率が悪くても入学を許可してくれる学校もあります。体験留学や交換留学は年に4回の入学が可能です。卒業目的の場合は原則1月入学となりますが、英語力や学力によっては1月以外でも入学できることもあります。英語力が不足している場合は、留学先の高校で開講している留学生のための英語コースを受講します。

イギリス

イギリスは、格式高い伝統文化と歴史を重んじ、世界最先端のファッションやアート、音楽などを世界中に発信している国です。その最先端に触れるため世界中から専門家や学生たちが学びにやって来ます。クイーンズイングリッシュとも言われ気品溢れる英語に憧れ、留学先に選ぶ人もいますが、高い英語力と自分で考える力を要求されます。高校を卒業する目的の場合、私立高校へ入学することになりますが、短期的な体験留学や交換留学（1年未満）であれば公立高校も受け入れしています。入学基準は、今までの成績や英語力がかなり重視されます。9月の新学期に向け英語力が不足している場合は、中学卒業後の4月〜8月末まで現地で英語コースを受講します。

▶ニュージーランド

入学基準には過去の成績（中学校時代の成績）や出席日数、推薦状などが求められず、入学後の学ぶという意欲がしっかりとあれば入学可能な学校が存在しているのが、日本から1万キロ離れたところにある自然豊かな国、ニュージーランドです。同国は世界でも人口密度が非常に低く、人々はのんびりした環境でゆっくりとした生活を送っています。起立性調節障害を持った子どもが留学生活で改善されたという実績もあります。

高校は、得意なことや好きなことをさらに伸ばす教育、選択科目が驚くほど数があるのも特徴の一つです。先述した「過去の実績よりこれからを尊重」してくれますので、不登校の子どもたちにも高校留学というチャンスがあります。また、ニュージーランドには、高校卒業を目的とした留学生を特別に支援するプログラムがあります。最初の1年間（高1）は、語学学校で留学生に向けた英語とニュージーランド教育省が認可した高1の単位が修得できます。ここでの1年間は留学生同士学んでいきますので、先生も留学生が理解できるスピードと表現で教えてくれるためとても理解しやすいです。ここで英語力をしっかり身につけ高校1年生の単位も修得し、2年生から現地の高校へ進学していきます。このプログラムは、無理なく3年間で高校を卒業できることを目的としています。

「留学」といっても、いろいろなスタイルがあります。それは子どもたち一人ひとりが違うように、1週間からできる留学や、英語を学びに行く留学、現地高校に体験入学をする留学、現地高校を卒業する目的の留学、ホームステイを体験する留学などがあります。もっと肩の力を抜いて、日本とは違う教育の形があることを体感し、こんな学び方が世界にはあることを知ってもらえたら、自分の居場所は日本だけではなく、自分の良さを見つけられる学びは世界中にあることを分かってもらえるでしょう。それが「自立できる海外留学」へとつながるのです。

私たちは、その人に合った留学のプランをゆっくり慌てず焦らず丁寧に一緒に探っていけたらと思っています。

3 留学は保護者も自立するチャンス

私には2人の息子がいます。子育てにどれだけ関わってきたかというと、残念ながら自信を持って答えられることはしてきていません。それでも子どもの成長に合わせて、初めて出会う方々と触れ合い、子どもたちが社会人になっても「そうちゃんのお父さん」として認識されています。年齢や学歴や性別という社会人としてある意味守られていた世界から、「そうちゃんのお父さん」といった違う世界に舞い込んだ時の出会いがあって、今さまざまな子どもたちの成長に向き合う仕事を許されたのではないかと思っています。

さて「留学は保護者も自立するチャンス」とは、ひと言で言うならば「子離れのチャンス」と言い換えられるのかも知れません。子離れというのは、子どもの成長と共に自然とできてくるものと思っていますが、例えば幼稚園から小学校へのように各人生のステージごとに大なり小なりの心配事は尽きないものです。こと「海外留学」、しかも学生の身ならなおさらです。留学経験のない保護者の方もたくさんいますので、留学そのものへの理解や海外で生活していくことの漠然とした不安、ましてや日本の学校に通えなかったわが子が本当に海外の学校に通えるのか、充実した高校ライフを過ごせるのか…。このさまざまな想いすべてに期待する答えになっているかは分かりませんが、どのような悩みや不安があろうと、日本で待つ家族にできることは「子どもを信じること、応援し続けること」これに尽きます。海外で暮らす子どもたちは、不安に押しつぶされそうな気持ちの中で前へ歩み出すことに挑み続けているのです。保護者の方々にはこのことに立ち返ってもらいたいのです。

今は、子どもたちとのコミュニケーションが昔と比べて取りやすく、気軽にＬＩＮＥメッセージなどを使って連絡を取り合っているご家族も多いですが、私たちが保護者の方々にお願いするのは「留学当初は連絡を取ることを控えるように」です。留学当初はうまくいっていてもいなくても、どこか不安な気持ちと本人はつき合っています。そのさなかに「ご飯食べてる？」「寂しくない？」と聞けば、それは寂しいですし「お母さーん」と叫びたくなって涙も出てくるのは誰だって同じです。保護者の方の寂しさを、海外の地で１人乗り越えようとしている子どもに転嫁しては、せっかくの機会が台無しになります。ここは保護者の方も子どもと一緒に乗り越え、自立するチャンスと捉えてもらえればと思っています。

わが子も長期の海外留学をしたことがあります。多くの子どもたちを海外に送り出すのと自分の子どもの場合とでは、気持ちに変化はなかったと言えば正直ウソになります。とにかく心穏やかではなかったことを思い出します。それでも、滞在期間中は彼からの連絡がない以上は、こちらからは連絡を取らないと決めたのでした。

ある日の早朝、久しぶりに留学先の息子からとても短いLINEメッセージが届きました。「スカイダイビングやるわ」と。高いところが苦手で、小さい時から喘息でどこに行くにも吸入器を持たせていた彼がスカイダイビングとは…。唖然としました。ベットから転げ落ちそうになりながらも「へえ、いつ?」と平静を装いながらメッセージを送りました。返事はというと、返ってきません。仕事中もLINEが届いているのではと確認するも返事はない。もしや妻の方に連絡が入っているかと電話するも、いつもと変わらない静かなLINEだと。翌日「スカイダイビングをするならば吸入してからやれよ」「心配はしていない。むしろやってみろ」と強い父親を思わせるようなメッセージを、覚悟を決めて送りました。するとしばらくして「昨日飛んだよ」という返信が届き、顎が外れるくらいの驚きがありました。できたんだ、大丈夫だったんだと胸が詰まり、「そっか、楽しかったか?」という無事を確認した冷静な父親は、こういうメッセージを送るんだと思いました。

帰国後、この時のことを聞く機会がありました。「しかしよくやったよな」と言うと彼は「きっと家族で旅行している時でなくて、留学中だったからだよ」と。家族と一緒だったら恐らく私や妻は体よく止めることをすすめ、そして彼はスカイダイビングには挑戦しない選択をしたでしょう（今振り返れば彼の経験やチャンスを潰していたかも知れない）。しかし留学中は小さなことから大きなことまですべて、自分の意志で選択することを当たり前のようにしてきたのです。自分の足で歩くことを知った彼はもう後戻りはしません。息子を信じた分、大きく成長して帰って来た時の感動は今も忘れません。『自立』ってこういうものなんですね。そして『親の自立』というのも、こんな具合にある日突然やって来るのかも知れません。あくまで親である私たちができることは信じること、応援すること。このことこそが最大で最高のサポートなのです。

息子が初めての留学に旅立ちました
合同相談会
スカイダイビングやるわ
ピコッ♪
平常心を装いつつ心中穏やかざるものが……
えーーっ
喘息持ちで吸入器が不可欠
止める？
任せる？
高いところは大の苦手のはず
I flew!!
(飛んだよ!)
自立はある日突然やって来る
あっ！自立した…

4 高校3年間を海外で過ごすということ

「不登校からの留学」を実現中、または実現した3名の女子に登場してもらいます。彼女らとは留学後に知り合い、私たちがインタビューしたものに解説を加えました。その彼女らが口をそろえて言っていたのは「諦めないで欲しい」ということ。それは留学に限らずですが、人生始まったばかりの10代だからこそ、同じ不登校であった私たちの経験や体験を知って「一歩踏み出すきっかけ」になってくれたら嬉しいと話してくれました。

▶留学とは新しいことに挑戦して努力したということ

「中学で不登校になり、私立中学を辞め途方に暮れていた時、義務教育だったこともあって市役所からは地元の中学に通うようにすすめられました。その帰り道、父親と言い合いに。そこで私は、ニュージーランドへ行くという少しやけくそ気味に決断をくだしました」

――彼女なりのいろいろな感情が邪魔をし、決して前向きな理由ではなく、留学という道

を選択。しかしその後に起きることすべてに無駄はなく、自身の努力と経験が必ず実を結ぶのです。

「高校生活についてひと言で言うなら、この学校は世界一だと思います。ランチを一緒に食べる現地の友だちもできたり、日本の学校ではできないような体験、いろいろな国の留学生と話したり各国のご飯を食べたり、またこの国ならではの文化を体験したりできるのは最高です。勉強面では、〝選択科目〟ですね。私は自分で何かを作ったりするのが得意です。勉強は苦手なので、そのため私が取っている科目は、音楽・演劇・裁縫・写真・アートです。ノートなんか一切取る必要がないんですよ！　具体的な進路の希望があるなら、選択科目でどんどん近づいていける。私には一番合っています」

――学校が苦手で通うことができなかった中学時代と比べ天と地ほどの差、彼女はそれを謳歌しています。

「また校則が厳しくない。髪の毛も自由、何もかも自由！　縛られない生活は羽を伸ばして自分を表現できます！　ストレスも少なく笑顔が増えました。良い意味で私のことなど誰も気にしない。おかげで１人で行動することが増えました。日本だとトイレに行くだけでも誰かと一緒じゃないと生活ができなかったのに」

――一見最初から順風満帆な留学生活を送っているかの発言ですが、日々生活面での苦労

があり、それらを克服することから、「自立」「慣れ」「英語力のアップ」とつながっていくのです。

▶〝慣れ〟という壁さえ越えれば見えてくる自分の世界

「今となっては〝慣れ〟と〝英語力〟があればどこでも楽しく生活ができる気がしています。最初のころはホームステイ先の悪いところばかりが目に入ってしまい、先生や家族に相談しては大丈夫、すぐ慣れるよと言われるばかりでイライラしていました。でも今は最高です！　長いので、もう家族のようなものです。今まで10軒ほど住みましたが、いろんな家庭がありました。音をたててはいけない家、Ｗｉ・Ｆｉがない家、シャワーは3分までというルールがある家などなど、今思えば全部のホームステイ先が恋しいです。この間、今までお世話になった家庭を訪れてあいさつ回りをして来ました。みんな元気で良かったです」

――本人談には、慣れてきたことでマイナス思考からしっかり脱出できた様子がうかがえます。しかも前のホームステイ先にあいさつできるほど大人になれた訳です。

「今でも英語力はそう高くはないですが、イヤホンをしながらでも人の会話が聞き取れます。コミュニケーションには困らない、つまり不自由なく生活できる程度の英語力です。それと一緒に身についたのは対応力と理解力です。コミュニケーション能力も上がった気がします。人見知りも無くなったかも？」

――彼女の英語力はさることながら、それ以外に身についたスキルを自分なりに客観視できていることが、実はかなりの成長と自信の現われを示し、目を見張るものがあります。また高3の彼女は日本の大学の入試制度「帰国生（帰国子女枠）入試」を使っての受験を目指しています。帰国生入試（大学によって呼称が異なる）は一般受験とは異なり、小論文と面接、英語が主な試験科目であり、海外で過ごした留学体験から得た考え方が試されます。

“人と違って当たり前”に真に解放された

次の女性は、中高一貫の女子校に合格したものの、女子グループから嫌がらせを受けるようになり中1の夏には通いづらくなったと言います。20代社会人となった彼女は留学の動機を「母から日本にいても今苦しいんだから海外でも同じ。これ以上苦しくはならないから大丈夫と言われたんです」と懐かしむ。1年間通った「高校準備コース」から現地高校へ編入し、高校2年生として登校した初日のことは今でも忘れられないそう。

「まったく英語が分からなかったのです。高校準備コースで英語もしっかりと学び、学校生活もホームステイでの生活にも慣れ、不自由もなくなってきたというのに、現地高校での英語の速さに驚きました。家庭科のクッキングでフルーツサラダを作るだけのことだったのですが、先生の英語の速さについていけず、何をどうしたらいいのかまったく分からず慌ててしまい、ナイフで指を切ってしまった」

――そしてここからが彼女の底力を示す凄さです。一晩泣いて切り替えます。ゆっくり話しかけてくれた今までの環境から、彼女の方法で英語力をキャッチアップしていきます。

「私は留学生という立場を上手に使ってどんどん話しかけました。ランチに誘い、その間話しかけ続けていくうちに、どんどん英語も覚えていくことができたのです。もともと人と話すことや人前で話すことが苦手でした。だからスピーチの授業は大変でした。人前で話すことはやっぱり苦手だったんですけど、みんながたくさん褒めてくれたので頑張れましたね。ある日の校長先生のお話に『あなたたちは特別なんだ。人と違わないといけない。

みんな一人ひとり個性をもっと出していこう』とあって、『あー、私ニュージーランドにいるんだなぁ』と思えた幸せな瞬間でしたね。この国に来た当初、私はずっと日本の社会に適応できない自分が悪いと思っていたけれど、本当にまわりの人たちが褒めてくれることが多く、私が悪かったのではなかった、と真に思えるようになれたのは留学して得られた自分への自信です」

留学の軸は『異文化に触れる』ところ

３人目は高1に3カ月の短期留学、その後に半年間の語学学校を経て、現地高校２年生へ編入をし卒業後、日本の大学で建築学を学ぶ大学2年の女性です。

「今はこんな明るい感じですが、高1のころはやっぱり病んでいました。留年とか不登校とか、これからどうなっちゃうんだろうって。そんな時にニュージーランドに行って、すべてがマッチしていたんでしょうね。特に環境です。波しぶきも立たない誰もいない海や、岸壁から眺める水平線、バタバタと急いで生活するのとは真逆の生活スタイル、のんびりしていて私には合っていたんだと思います」

――3カ月の短期留学を果たした彼女の言葉。なんとこの後両親を説得し、彼女は現地高校を卒業する目的で学生ビザの取得など自ら準備をして、さらなる自立へと現地へ向かいます。

「高2から編入した現地高校で選択した科目の中心は理系科目でした。数学や物理のような教科でも一つの解を求める勉強ではなく、数学的思考、物理的思考を養うことを最大の目的とするため、五感を活かしてディスカッションをするんです。例えば『音の波長』について。見たこともないような大きさのスピーカーを校庭に運び、いろんな場所に生徒たちが散らばり、聞こえる音の違いについてディスカッションが始まります。むしろ机に向かっての授業の方が少なかったかも（笑）。日本とは違うのでなかなかイメージしづらいですよね」

――学ぶスタンスがまったく違いますね。その後に彼女は帰国生入試で日本の大学合格を果たします。彼女のこの言葉が留学のすべてを語っています。

「日本の大学の友だちに高校留学していたと話すと、ほぼ100％、英語力を問われる質問が返ってきます。だけど、帰国子女や高校留学していた子に同様に話すと、ニュージーランドってどんな国？と聞かれます。これって日本にいる不登校の子やその家族が一番気になるポイントかな、英語が話せるようになるかなって。でもそこじゃないと私は思うんですよ。留学の軸は『異文化に触れる』ところだと思うんです。海外で過ごしてきた経験って、日本を俯瞰して見ることができ、ニュージーランドに限らず世界中の出来事にも興味を抱き、さらに突っ込んだ事例を調べられるようになったという大きな変化を生んだのです。私は不登校だったけど、3年間海外で生活し、そして高校を卒業してきたという自信を持っています。だからこれから先何があろうと乗り越えられると思っています。日本にいる時に思い描いている留学とは実際は違うこともあったけれど、現状を諦めないで欲しいということを伝えたいですね」

5 コロナ禍でも海外留学をサポート

２０１９年12月に中国は武漢からの新型コロナウイルスが発見され、年が明け２０２０年１月には日本にウイルスが上陸し始めました。３月に中学校を卒業し、４月からニュージーランド（以下ＮＺ）の高校へ進学する子どもたちのために、日々国内サポートに関わる留学に向けての準備を進めていた2月。世界中で新型コロナウイルス感染がまん延し猛威を振るい始めたというニュースが話題の中心となってきました。子どもが留学中の保護者の方からは、現地の様子はどうなっているかなど心配の声が寄せられました。すると今度は、中国人をはじめとするアジア人に対する差別や偏見で暴動が各地で起きているというニュースが流れ始めると、これから春先に短期留学を検討していた方からキャンセルした方がいいのか、という問合せも多くなってきました。私たちが海外に送り出している国や地域に、そのような差別や偏見からの暴動などはありませんでした。４月からＮＺの高校への進学をする子どもの中には、入国制限前に渡航できた子どもと残念ながら渡航できなかった子どもでは、当然ですがかなり事情が違ってきました。

無事ＮＺに入国ができ差別や偏見などはなかったものの、入国して間もなくして「史上初めてのロックダウン」が全土に敷かれました。学校に通学できたのは10日間くらいだけで、それ以降2カ月間はオンラインでの授業でした。学校に通えば、日本人の留学生もいることで言葉の心配はないことから寄り添えたり励まし合うこともできたのです。しかし、それも叶わなかったことで、ホームステイ先の方々の温かい気持ち、現地の日本人スタッフによる定期的な連絡が、この難局を乗り越えられた大きな要素だったと思います。この難局を乗り越えた子どもたちはたくましく、乗り切った自信、そして何より英語力の伸びがあると評価を得ています。9月には2年目の編入先の現地高校を視察する時期です。学びたい教科や興味のあることの確認をするためにカウンセリングを行い、学校選びが始まりました。いくつか候補に挙がっている学校への視察を行い、出願をする学校を保護者の方と確認しながら最終的に決めていきます。新型コロナウイルスの影響はほぼありません。

入国制限前に渡航できなかった子どもたちは、国内でオンライン授業を続けていました。なかには世田谷プレイスで一緒にランチを作り食べて、悩みなどを聞いて気持ちのリフレッシュをはかったり、現地学校と共同で企画し「日本待機組」の子どもたちに向けて、1泊2日の修学旅行（イングリッシュ・キャンプ）を実施したりしました。子どもたちとたくさん会話することで不安や悩みを取り除くほか、現時点での英語力の伸びをチェックしていました。しかし、彼らには選択の時が来ました。次年度に入国ができなかった時に、1年留年という形を取るか、あるいは海外留学という道を断念し日本の通信制高校などに編入し、高2となるかなどの提案をしていくことになりました。オンラインではあるもののNZの高1の単位は取っていることで、どこまで互換性のある評価が得られるかの確認を通信制高校と始めました。

また入国制限が解除されたほかの国（10月20日に入国が再開されたカナダ）への留学という道も模索し始めました。NZで修得した単位をカナダの高校へ移行し、どこまで認められるかはこれからです。さらに、NZの高校への留学を維持しつつ（日本でのオンライン留学でも現地留学と同等の扱い）、同国の入国制限が解除されるまでの間、カナダに語学留学し英語力をさらに上げ、次年度2月よりNZの高2として進級するという道も提案していきます。プランAがだめならB、プランBがだめならCと、一度は海外留学に希望の光を見出した子どもたちに、諦める前に有効な提案をしていきたいと思います。

私たちは、現地の学校や現地のサポートオフィスとも連携し最新の情報を入手し、いつでも最善の道を紹介できる体制を整えております。留学ができるようになった国や地域が発表されましたら、WEB上で留学情報をアップしていきます。

第2章

自分の学びを取り戻した留学生たちの記録

5名の留学生プラスコロナ禍で
明暗分けた留学生たちの
貴重な記録の数々です。

1 起立性調節障害からの留学

仮名　山本ケンさん
不登校の原因　起立性調節障害で中2から不登校の高1男子
留学の動機　友人がすすめるイギリスへ行きたかった
留学先　ニュージーランド　1週間短期留学
現在　通信制高校2年

起立性調節障害を抱えながら留学を実現した高1、山本ケンさんの話です。彼との出会いの前に、関西で行われた合同相談会の会場にお越しになったお母さんとの出会いが最初でした。お母さんは「不登校生のための留学～海外の学校という選択～」の講演会に参加し、その後に私たちの「留学相談ブース」に立寄られました。席に座るや否や「息子を留学させたい、自信を持たせてあげたい」と言うお母さんの想いの強さに最初は圧倒されましたが、すべてを受け止めるまでにそう時間はかかりませんでした。それは、「起立性調

節障害で中2のころから学校に通えなくなった」ということと、「海外にぼんやりとした憧れがあるよう」という話だったからです。

「起立性調節障害」で悩み前に進むことを諦めかけていた子どもたちを、私たちは何人も留学という道を紹介し、実現させてきた経験があります。ただ同じ疾患に悩んでいても症状は人それぞれ違いますので、「必ず大丈夫」とは言い切れません。海外に興味はあるけれど、今の自分の状況だと諦めるしかないと思っているのであれば、私たちは「諦めず寄り添う」ことから可能性を探っています。

彼と初めて会ったのは暑い夏の日でした。彼は大きなマスクをしてお母さんに連れられてカウンセリングにやって来ました。マスクをしなければならない理由は何だろうと思いながらも、カウンセリングは始まりました。お母さん主導での会話がスタートしました。彼はうつむき、言葉を発することはほとんどありません。「ぼんやりとした海外への憧れ」について少しずつ聞いていきます。すると「友人がイギリスって良いと言っていた」というのがきっかけだったのです。そのひと言からイギリスへの憧れが沸き上がり、行く予定も立たないうちにパスポートを取得したという、行動力のある一面を知ることとなりました。それには驚いたのと同時に「すごい行動力があるね！　いいね！」と心の底から感動し言葉が出ました。すると、彼は私たちの喜びを見逃しませんでした。うつむき気味ではありましたが、笑顔のさわやかなどこにでもいる高1の男子だったのです。ただ、本人は起立性調節障害だから留学なんてムリだと思っているようでした。

▶起立性調節障害は不登校の大きな要因

そもそも「起立性調節障害」という疾患は英語で「Orthostatic Dysregulation」と訳され、頭文字を取って「OD」と言われることが多いです。このODとは、小学校高学年から高校生の思春期の時期に発症することが多く、その発症率は全体の10％と言われ、実に10人に1人いるということです。また、不登校になっている子どもたちの多くがこの疾患に悩まされているとも言われています。したがって全国の合同相談会の講演会や留学相談ブースで会う子どもたちの中にも、このODがきっかけで不登校になっている子どもが多いです。

起立性調節障害のアプローチとして、身体的要素と心理的要素があると言われています。身体的なところは薬の服用などで整えていく必要はありますが、心理的な要素には「環境を変える」というアプローチもあるようです。いわゆる「海外留学」という選択も効果の一つと話される専門家や親の会の方々もいます。もちろん個人差もあり、症状を改善させる根拠があるわけではありませんが、例えば天候も安定している（カラッとした空気）国や地域、また夜のフライトを利用して機内で睡眠をとり、現地に到着した時には朝を迎えるような「時差の少ない」国や地域への留学であれば、初日から体調を崩すことも比較的少なく、心理的負担も少なくて良いのではないかとも言われています。

▶NZ留学に向け国内準備を開始

希望するイギリスは比較的天候もすぐれないかつ時差があることなどから「今すぐ」の海外留学は提案しづらいけれども、気候も安定かつ時差が少ない、そして実績が多いニュージーランドへの留学を提案しました。また初めての海外ということもあって不安も多いことから、長期での留学ではなく、まずは自信をつけるため、1人で留学したという実績が何より大切だとお母さんに伝え、短期での留学を提案しました。彼はまだ自分事にはなかなかなっていなく、カウンセリングを続けていくうちに意志が固まり、ニュージーランドへ短期留学に挑戦する気持ちに変化していきました。お母さんはその意志の変化を希望の光と思い、本人、お母さん、そして私たちという3者で頑張っていく気持ちとなったようです。

出発前の親の心配は、「果たして留学して学校に通えるのか」「朝起きられるのか」「毎日の薬をしっかり管理して飲み続けられるのか」でした。一方の彼は「英語が分からない」「本当にニュージーランドに行けるのか」という当事者であっても立場が違うことでの不安や悩みは違います。出発までに少しずつ少しずつ慌てず焦らずそれぞれのペースに合わせてサポートしていきます。

すぐに、出発までのロードマップ、個別カリキュラム作成に入るのと同時に、定期的なカウンセリングもスタート。毎週決まった曜日、時間にカウンセリングを行います。漠然と抱えている不安や将来のこと、趣味や興味のあることなどさまざまな話をしていくことで、彼の特性や気質、留学中に注意すべき点、引き伸ばしたい点（自信をつけさせるなど）や苦手とする点が見つかってきます。そのすべてとどのようにつき合っていくのが良いのか、改善したいと思うのかなどを、時間をかけて自分の言葉で発せられるのをゆっくり待ちます。夏の暑い日でもマスクをしている理由も、この定期的なカウンセリングを続けている中で話してくれるようになりました。「外出することが不安」「誰かに見られるのが不安」「自信がない」と箇条書きにするとこうなりますが、会話の中からは自分のことを本当によく分かっていて、明るく自己分析をしてくれました。またこの印象を伝えると喜んでくれました。

国内ホームステイ体験の日。関西から東京の施設までお父さんと来てくれました。我々スタッフと一緒の夕食を作り食べて、会話が弾みました。ここで初めて知ったことも多かったです。「マスクを取った顔」も一つ。とっても笑顔のステキなイケメンでした。「いい笑顔しているね〜。マスクなんてしていたらもったいないよ〜」と素直に思ったことを伝えると、マスクを外して一緒にいてくれるようになりました。「あー、やっと彼にとっての安心基地になれたかな」と嬉しさが込み上げてきました。翌朝、お父さんが迎えに来て、昨夜の話を伝え「しっかり準備しているので留学もきっと楽しんでくれると思います」と言うと、ホッとした様子でした。信頼関係もしっかりとでき、LINE交換をして「不安なことと心配なことがあったらいつでも連絡してね」と彼と別れました。

毎朝の報告がきちんとできて留学は実現

国内ホームステイ体験も無事終わり、いよいよ出発まであと数週間となったころから、最大の山場である「毎朝の生活報告」がスタートしました。これは留学すれば必ず朝に起きられるようになるわけではないので、本人と保護者の方の理解を得たうえで「心理的な要素」にさらにドライブをかけていきます。毎朝8時につながったLINEにメッセージを送るという報告を出発の前日まで行っていきます。難しいことを報告するわけではありませんが、この報告を毎日してもらいます。受け取ったスタッフは、そのメッセージに必ず返信します。また8時に報告が来なければ、メッセージを送ったり、電話をかけます。「来週月曜からいよいよ『毎朝の生活報告』をやるよ」と伝えると、多くの子どもたちは月曜日にはしっかりと8時に報告が来ます。火曜日もクリア、水曜日は微妙、木曜金曜日と段々と報告が遅れ始め、ついには報告が来なくなるケースが多いのです。

彼はどうだったかというと、8時から30分程度遅れることはあったものの、しっかりと報告してくれました。彼の場合は私たちとの信頼関係が無理なく負担なくできていたからではないかと思います。この8時の生活報告は、実は起立性調節障害の子どもたちにとってはなかなか難しいことだと思うのです。今までは日付が変わってからでないと寝つけない、時には夜中の2時3時になって寝つくという子どももいるくらいです。それでも留学するという決意を忘れないようにと、心理的な要素に訴え「自分はできる」という気持ちの醸成には、この国内サポートの一つである「毎朝の生活報告」は必須であると考えています。さて、当の彼は毎朝の報告のために早く寝るよう心がけ、眠くなるように運動（散歩）も日課にしていると教えてくれました。自ら変わろう、自信をつけようと動き出してくれていることにサポート側の私たちは本当に嬉しかったです。

親の自立も同時進行

出発を3日後に控えたある日、お母さんから「やっぱり留学は無理かもしれません」というメッセージが届きました。理由を問うと、「なかなか朝起きられないかも知れない。1週間のうち3日程度だけ通えればそれだけでも十分なのですが、そういうことはできますか?」ということでした。お母さんの不安はよく分かります。親の期待とは裏腹に、起立性調節障害に限らず不登校の子どもたちが本当に留学なんてできるのか、「信じてあげたいけれど…」という気持ちが心のどこかにあることを、このお母さんは吐露してくれました。このように思っている保護者の方は実際に多いと思うのです。心のケアが十分ではなかったと反省しました。彼は彼なりに工夫をして変わろう頑張ろうとしていることを今一度お母さんに伝え、「一緒に応援しましょう」と。ここからは、お母さんの自立です。本人の頑張りに応え応援することが大切です。その日のお母さんは一定の理解を示してくれたのですが、翌朝（出発2日前）に再び相談がありました。お母さんも一生懸命に彼を応援していることは伝わって来ているのですが、結局「やっぱり無理では」というところから離れられませんでした。ただ、今までの数々のサポートをこなしているこちらから見ても、頑張ろうという気持ちがある彼に「留学断念」という道の選択をお母さんに提案することができませんでした。それはこの断念が今後の彼の人生にどのような影を落とすかと考えたからなのです。留学なんていつでも行けるというのはそうなのですが、これまでの経緯、断念しない理由が、次の彼のステップには必ず必要だと思いました。その前にできることはないかを考え、「同行サポート」を提案しました。このサポートは心配されている保護者の方のために、スタッフが同行して逐一報告するものです。行きも帰りも常に一緒に同行するものと、あくまで子どもは1人で留学という前提でスタッフが距離を取ってサポートするものがあります。彼は後者でした。

出発まで2日しかなかったことで、同じ飛行機での出発は叶いませんでしたが、追っかけて急きょニュージーランドへ向かいました。そして、本人の挑戦に手を差し出すことはせず、危険やサポートが必要と思われるところのみにそっと寄り添うサポートに徹した結果、1日たりとも休むことも遅刻することもなく留学をやり遂げたのです。お母さんには、毎日の学校やホームステイ先での様子などを報告することで、不安もなくなったようです。むしろ、思ってもいなかった学校生活や留学生同士でバスケットボールをしている写真を送ると、「中1のころはバスケット部だったんです。あのころのようです（涙）」とメッセージが返ってきました。ホームステイ先では、毎朝自分で朝食の準備をして食べてから登校していました。「短期留学だったので、最初から最後まで英語は何を言っているか分からなかったけれど、なんとかなるんですね」とケンさん。

留学の意味はこれからの人生で分かる

とかく「留学」というと、海外の大学や研究機関への留学などと思われる方が多いかと思いますが、人もさまざまな方がいるように、留学もさまざまな目的があるのです。彼が経験したものも間違いなく「留学」なのです。それは、自分を見つめ直し自信をつける〝生きるチカラ〟再発見の留学なのです。大小さまざまな喜び、苦難、発見、気づきを感じ、時に乗り換えるきっかけが「留学」には備わっているのです。

彼は、この短期留学の経験を経て自信を持ち、前に進むことの大切さを知ったと言っています。現在は、関西の通信制高校に通っています。もちろん必要な時以外、マスクなんてもうしていません。次は、長期の留学として、念願のイギリスに行きたいと言っています。この留学以後、起立性調節障害の症状もなくなったそうで薬の服用もしていないそうです。「留学がきっかけで治りました」と彼は笑いますが、そのようなエビデンスは残念ながらありません。

この留学が彼の人生にどれだけ寄与したかは、まだ始まったばかりの人生ですので知る由もありませんが、彼は言います。「僕の経験が同じような悩みを持った人たちやご家族に役立つのなら嬉しい」と。マスクを外した彼の笑顔がステキなことを私たちは知っています。

2 自閉スペクトラム症を自覚した先の留学

仮名　木村アイさん
不登校の原因　自閉スペクトラム症で高2から
留学の動機　世界で自分の可能性を試したい
留学先　カナダ　語学留学を経て1学期間の高校留学へ
現在　日本の国立大学に合格

自身が障害を受け入れるということ

「娘の留学で相談に行った留学サポート会社に断られ、その時御社を紹介されました」と言う九州に住む木村アイさんの保護者の方より電話がありました。

その会社は最初はとてもよく話を聞いてくれて、留学の提案もしてくれたのですが、娘の状況を伝えると話は一転、お受けできないと。それでもその担当してくれた方から「不登校や障害を持った方に手厚いサポートしている留学サポート会社がある」とこちらを紹介され連絡を取ってきたのだそうです。

さっそく話を伺うと、アイさんは中２の時に今の中学校に転校してきました。中３になった時に仲の良かった友だちと別のクラスになり、不登校気味に。それでも高校へ進学しましたが学校に抵抗を感じ、３学期には精神科へ通院することになりました。高２に進級した時に、前年の学年から持ち上がってきた女子のグループができ上がっていました。日本の女子高生のグループには排他的なところがあり、彼女がそこに入り込むことは困難だったようです。高２の秋、自閉スペクトラム症と診断を受けたということでした。親としては、娘さん自身が自分の症状を知ることで自分の行動を修正していくきっかけにして欲しいという想いがあったようです。しかし診断結果を知った娘さんはショックを受けて学校に行く気力も衰えてしまい、完全な不登校へと移行。しかし、不登校になったことで自分を見つめ直す時間ができ、ショックから少しずつ立ち直り、障害とも向き合おうとしたところで留学という道に辿り着いたのが高2の3学期。今回留学を希望した理由の一つとして、日本的な価値観に縛られない世界で自分の可能性を試したいということが挙げられます。「娘にチャレンジの機会を与えてくだされば幸いです」とお父さんのわが子への想いと共に、チャレンジとなる留学の実現に向けて私たちも一緒に一歩を踏み出すこととなりました。

▶症状ごとのサポートを模索

この段階で「お断り」という選択肢は私たちにはありません。まずはゆっくり話を伺うことからスタートしました。この電話でお伝えしたのは、この段階で留学ができないということはない、必ず道はある、一緒に探していきましょうということでした。そして後日、本人と話をして、現状の生活の中で困っていること、その時の対処方法を聞きました。私たちは症状によって留学をお断りするのではなく、症状をお聞きしてどのようなサポートがあれば留学が実現できるのか、子どもが安心して留学できるのかを探ります。そして何より「留学したい」という想いを直接本人から聞けたことが最大の成果だったと思います。

高３の夏から6カ月間の留学です。高校ともしっかりと話をして休学手続きをし、留学から帰国する翌年の４月に、もう一度高３からリスタートすることになりました。しかしこの決断に至るまでにはさまざまな心の葛藤がありました。１学年下の子たちと一緒になること、学業面での遅れの心配などがありましたが、「カナダに留学したい！」という強い希望がありましたので、まずはカナダで受け入れできる学校などを探すことから始まりました。彼女は英語力もつけたいが、現地の高校生活も体験してみたいという想いがありました。彼女の症状のこと、不登校のこと、この辺りを理解して受け入れてくれる学校、ならびに滞在先探しを妥協することなく進め始めました。現地高校からは体験であろうと「過去2年分の成績証明書や出席日数」を求められ、在学の高校にお願いして用意してもらいました。その点日本で通っていた学校が彼女が違う道へ進むことを応援してくれたことは幸運でした。現地高校からは入学を断られることを数回繰り返しましたが、逆に学校が本当に理解して受け入れる体制ではないと判断できましたので、そういった学校は選択肢に入れませんでした。

次に問い合わせした学校からは「校長先生からの推薦状を」という要求がありました。保護者の方が担任の先生（偶然にも英語の先生）に依頼すると、校長先生からの日本語の推薦状を英訳してもらえたのは時間的にも優位に進んだことは間違いありません。その現地高校に出願し入学許可が下りたのは、彼女のまわりにいる方々のサポート、彼女の人生を応援したいと思う人たちが集結した結果だと思います。

▶症状を3者確認のうえ、現地へ確実に伝授

現地サポートオフィスや受け入れてくれる学校に対して、自閉スペクトラム症の症状についての説明も怠りません。「同年代の集団への参加やコミュニケーション上の難しさがあり、不安も強い。しかし日常生活は自立しており、症状による日常生活への影響はほとんどない。内服も特に必要なく、現状では留学も可能な状態であると判断した」という渡航許可書も保護者の方と私たちと主治医の先生との3者間で確認しました。

主治医の先生が判断されたように、国内サポートも滞ることもなく順調に進んでいき、出発前日には「明日から行ってきます！　今までありがとうございました」という嬉しい連絡をもらいました。カナダ到着後、まずは語学学校へ通学しました。文化や習慣が違う留学生たちとのコミュニケーションは日本とは違い、自分の思うように表現することが苦になりません。語学学校を無事に終え、いよいよ現地高校へと入学しました。勉強は自分

の興味のある科目を選択していくので、化学、クッキング、英語を受講しました。クラス単位で動く日本の学校とは違い、自分の選択した授業を受ける大学のような様式だったので楽しく受けることができました。また、まわりに気を遣うことなくフラットな気持ちになれたことで、日本では味わえなかった高校生活を送ることができたのです。とは言え、他国からの留学生と衝突もありました。今までであれば自分が我慢して事を終わらせていたかも知れませんが、カナダに来た自分は今までとは違います。このことを自らホストマザーに相談しました。ホストマザーは本当の娘のように相談にのってくれたそうです。留学中も現地サポートオフィスや私たちから定期的に連絡を取り、楽しく過ごしていることがうかがえました。発達障害の症状もあって、カナダでも日本人の子どもたちから白分が少し浮いている感覚はありましたが、そういう時はほかの国からの留学生と話したりすることで気にならなくなりました。

彼女は卒業目的ではなく国際交流を目的として現地高校へ留学したので、単位修得は気にしなくても良かったのですが、それでも英語での化学の授業についていけなくて悩んでいた時、留学生担当の先生やホストマザーに相談することで無理のない時間割に変えてもらいました。その辺りは日本の型にはまったやり方ではなく、臨機応変に対応してくれたのです。今回の留学をきっかけに、将来は国際関係などの海外で働ける職業につきたいと思い、帰国後は国際系が学べる大学を目指して勉強をしていました。

▶復学を選んだ彼女の理由

彼女はこう言います。「私は間違った国に生まれたのかも。始めからカナダで生まれていたらあんな辛い思いなんかすることなかったと思う」と。6カ月の留学を終えて無事に帰国し、4月から予定通り高3から始めましたが、5月末ころから再び不登校に。やはり1学年下の子たちとうまくやるのが難しかったというのが大きな理由でした。7月には学校から通信制高校への転校をすすめられたのですが、一昨年の不登校の時に留学を応援してくれ、戻ってきた時にも寄り添ってくれた先生方を裏切りたくないという想いで、復学することになりました。それからは大学入試への勉強も頑張った結果、九州にある国立大学の合格を手にすることとなったのです。

この彼女の留学は象徴的なものとなりました。「不登校」や「障害」というレッテルを貼ることで、彼女の人生を外野が操作できてしまうことの恐ろしさを感じたのです。もちろん、どんな状況でも留学はできる、というわけではありません。しかし歩み寄りそして寄り添い、話を直接聞いてみなければ分からないことばかりだと思います。「不登校だからダメ」「障害があるからムリ」なのではありません。本人の意志、そしてまわりの方々のサポートがあれば可能性は必ずあると信じています。

自閉スペクトラム症に限らず、またはそのようなグレーゾーンであろうとなかろうと、留学したいと思う気持ちを私たちは第一にします。その中で自閉スペクトラム症であれば、対人関係を構築することが難しかったり、一つの興味やコトに関心が向きやすくこだわりも強く、感覚が過敏であるところなどが特徴的だと言われています。彼女の場合はこだわりが強いというより空気を読まず浮いてしまい、対人関係がうまくいかないという感じでした。

自分の意に沿わないことなどが起きた時に、特徴の一つである「こだわりの強さ」が周囲の人たちの目には色濃く映ることがあります。そのような時には、その場を離れ気持ちを落ち着かせ、慌てることなくそして焦ることなくそのこだわりを認め、落ち着いてからゆっくりと一連の行動を反芻し認めていくことが大切です。このこだわりの強さは決して悪いわけではありません。ただ社会性を築いていくうえで、時に本人も自覚し、まわりにも理解して欲しいです。分かってもらわなければならない部分でもあるため、その子に合ったアプローチで伝えていきます。

3 統合失調症の理解を得る

仮名　菊地ユミさん
不登校の原因　統合失調症で高2から7カ月休学
留学の動機　演劇の授業を受けてみたい
留学先　ニュージーランド　3カ月の語学学校＋現地高校体験
現在　大学受験に向け勉強中

▶英文の渡航許可書を添え、受け入れ先を確保

「海外で演劇をしてみたい」という希望を持った高3、菊地ユミさんの相談です。高2のゴールデンウィーク明けから急に学校に行きたくないと言い出しました。それまでは勉強も部活も元気いっぱいで高校生活を満喫していたのに、みるみるうちに元気がなくなっていったのです。心配になり病院へ行くと、精神的な病で「統合失調症」と診断されました。そ

して高2の9月から翌年3月末まで休学しました。その影響かどうかは不明ですが、12時間以上」の睡眠が必要で、こういった状況で受け入れてくれる学校や滞在先を探すところから始まりました。

統合失調症などの精神的な病状がある場合は、現地のスタッフに症状を伝え、現地ではどういったサポートが必要か、どうしたら安心して留学生活が送れるのかを一緒に考えます。12時間以上の睡眠が必要ということは、朝9時から始まる学校に間に合うよう遅くても朝8時に起床する必要があり、そのためには夜8時には就寝しなければなりません。夕食の時間やシャワーの時間などユミさんに合わせた生活リズムを作ってくれる（理解してくれる）ファミリーであり、かつ学校まで近い家であることも条件にホームステイ先を探しました。

今回は最初に英語を学ぶために通う語学学校の校長先生と面談することになりました。校長先生から「なぜ留学したいの？」「現地では何がしたい？」「留学中にサポートして欲しいことはあるかな？」と丁寧にやさしく聞かれます。面談後、校長先生は「目的意識もしっかりしているし、受け入れは問題ないですよ。安心して来てください」と判断されました。校長先生のお墨付きをもらい、次に演劇が学べる高校探しです。本人の希望は演劇鑑賞ではなく、実際に演じたり演劇の歴史なども学んでみたい、ということでした。「海外の学校では、授業の一つとして演劇（ドラマ）という科目があり、実際に役作りをしたり、演じたり、裏方（照明や音響など）や歴史についても学べます」と伝えたところ、とても興味を持ちぜひその授業を受けてみたいとのことでした。演劇のクラスが受講でき、かつ体験留学としても受け入れができる高校はすぐに見つかりました。海外の高校では演劇に限らず、料理、裁縫、アート、写真、音楽、スポーツ全般とさまざまな選択科目を体験することができます。苦労したのはホームステイ先の確保です。最初は寮滞在かホームステイ滞在のどちらがいいか、本人からの質問がありました。今回の留学は、異文化を体験したい、海外の生活を送ってみたいという目的もありましたので、ホームステイをすすめました。英文の渡航許可書も用意してもらい、この書類を付記して探すことになりました。主治医からの同許可書には「She is healthy and there is no problem to study abroad」（彼女は健康であり留学することは問題ない）と書かれています。見つかるまで時間はかかりましたが、本人の意欲、家族の願いに何とか応えたいという想いで諦めず探し続けました。

親の不安を理解してのサポート

学校への手配やホームステイ先を探している途中で、問題が生じました。

お母さんから「娘の病気については御社だけに留めておいて欲しかった。語学学校などには話して欲しくなかった」という内容の電話がありました。この病気がきっかけで色眼鏡で見られ、満足いく留学にならなかったらかわいそうという想いだったようです。「最初にお会いした時から一貫して、さまざまなお子さんをお預かりするにあたり、そのお子さんを中心に私たち、語学学校やホームステイ先、そして家族とチームでお子さんの留学をサポートしていきましょう、と話をさせていただいておりました。それは逆に色眼鏡で見ないために必要な情報を共有し、適切なサポートをスピーディーにするためなのです。ただ不安な気持ちにさせてしまいましたことをお詫びいたします」と伝えました。お母さんは今までの留学の準備を白紙に戻したいという気持ちもあったようです。大切な子どもを海外に送り出すことは、保護者の方がどれだけ心配で不安な気持ちなのか理解しているつもりです。保護者の方と同じ気持ちでサポートしています。しかしそれには保護者の方と私たちとの信頼関係があってこそ成り立つことだと思っています。私たちの想いを伝えて連絡を待つこととなりました。数日後、やっぱりどうしても留学したいという想いにここまで寄り添って理解してくれる私たちにお任せしたいと、再び留学へ向けた準備が進んでいきました。

そして彼女は3カ月間の留学を実現しました。10週間の語学学校に通った後、２週間の現地高校へ体験入学するというカスタマイズされたプログラムです。まず最初に通う語学学校では、入学初日に英語レベル分けテストを受けます。すでに英検準2級を持っていたため中級クラスに入りました。他国からの留学生と一緒に英語の授業をとても楽しく受けることができたようです。ホームステイ先では、事前に統合失調症であること、睡眠が12時間以上必要であることを伝えていたので、ホストファミリーも理解して受け入れてもらいました。ストレスを溜めないよう自由に過ごして良いこと、学校生活について毎日会話をして、何か困ったことがないかを確認してくれました。何より睡眠時間を十分取れるよう、早めに就寝させるよう心がけてくれたのです。

直接謝罪が信頼関係の回復

順調に進み1カ月ほど経った時に、ホストファミリーが以前から予定していた旅行に出かけるため留守にすることになり、その期間中は親戚のファミリーが面倒をみてくれることになったのですが、ユミさんはその事実を知らされてなく、急に他人に預けられる格好になりました。もともと約3カ月間預かることになっていたにも関わらず、その期間中に旅行に出ることに加え、それを伝えることなく留守にするのは考えられないとホストファミリーに対して彼女は不信感を持つようになったのです。私たちも事前に報告を受けていませんでしたので驚きました。本人もさぞ不安だったと思います。お母さんからも不安な声で連絡が入りました。まずは事実確認をして経緯を現地から報告してもらいました。ホストファミリーは以前より旅行を計画しており、その期間中は親戚が面倒をみてくれる手はずになっていたので問題ないと思っていたそうです。その辺りの感覚が日本人と異なり、異文化のギャップを感じるところでもあります。ホストファミリーの不在中は現地スタッフが不安を取り除いてあげられるよう、預けられているお宅を訪問しました。ホストファミリーに悪気はなかったとはいえ、報告なしに旅行に出たことを学校関係者（ホームステイ先を管理し責任があるのは学校です）に謝罪し、学校からその旨知らせがありました。しかしホストファミリーから直接彼女への謝罪ではなかったため、誠意が伝わらないとますます不安を募らせます。彼女はこのホストファミリーが大好きで、このことでホームステイ先を変更する気はないと言います。これからも一緒に暮らしていくため「ぎくしゃく」した関係にならないよう私たちも配慮し、ホストファミリーに本当に申し訳なかったという気持ちを直接彼女に伝えてもらいました。最終的には信頼を取り戻し、いつもの生活に戻りました。このようなトラブルはあったのですが、本気でぶつかり合ったことで、このファミリーとは真の家族となったようです。

1日だけの演劇体験に満面の笑み

語学学校に通う10週間が終わるころ、いよいよ現地高校に体験入学して「演劇」が学べる日が近づいてきました。そんな矢先、あの新型コロナウイルスが流行り始め、このまま現地高校に2週間滞在すると帰国できなくなる可能性が出てきました。でも、この留学の集大成である現地高校で演劇を学ぶという目的は果たしたい、どうすればよいのか。保護者の方も交え何度も何度も話し合いました。その結果「安全を優先」という結論になり、現地高校で1日だけ授業を受けすぐに帰国するという選択をしました。この1日は好きな科目を選択できるよう学校側も配慮をしてくれました。一番の目的だった演劇のクラスに加え、裁縫、料理、マオリ文化、英語、生物を選択しました。たった1日だったかも知れませんが、目的を果たし満面な笑顔で最終日を過ごす写真が送られてきました。

最後に待っていたのはトラブルの連続でした。新型コロナウイルスの影響で各航空会社ではフライトスケジュールの変更や運休が続きました。私たちは代替え便の手配で翻弄されます。ニュージーランド航空も同様に、オークランド空港から成田空港までの直行便が運休になったり、他国経由になったりと、出発前に予定していたことが大きく変わりましたが、いろいろなことがあったこの約3カ月の留学を通して、ユミさんはたくましく成長し、臨機応変な対応力も身についたのだと思います。帰国後は、出発前に高校卒業認定を受け合格していたので、大学受験に向け頑張っています。

4 ＡＤＨＤの傾向とつき合う

仮名　伊東まなぶさん
状況　ＡＤＨＤの傾向がある。東京の私立の中高一貫校に通う中3男子
留学の動機　「個性を大切にして豊かな心を育む海外の教育」に興味を持たれた保護者の方からのすすめ
留学先　ニュージーランド　2週間短期留学から高校留学へ
現在　現地高校2年生

２０１９年春に東京都内で行われた「不登校生・発達障害児による海外留学の相談会」に参加されたお母さん。お子さんは、診断は受けていないものの「ＡＤＨＤのグレーゾーン」

ではないかと感じながら、その辺りと上手につき合い今に至っているというご相談でした。ただ、今後高校へそのまま進学するとなると「生きづらさ」をさらに感じることが多くなってしまうのではないかと感じ、「個性を大切にして豊かな心を育む海外の教育」に興味を持たれたようです。

留学の相談をしている中、お母さんからの目線で気になることを伝えられました。「こんな子ですが留学できますか？」と手紙を渡されました。

ADHD傾向について次の特徴があります。

- 忘れ物、失くし物が多い
- 朝、起きづらい
- 時間、期限を守るのが苦手
- 整理整頓が苦手
- ルーティン（日課など）が苦手
- 忘れやすい
- ケアレスミスが多い
- 計画を立てられず、遂行することが苦手
- 物事を先延ばしにしやすい（＝取りかかりが悪い）
- 不器用
- 関心が一つのものに集中して離れづらいことがある

と、このように注意する点が書かれてあり、とても参考になり現地でサポートするスタッフと共有しました。しかしこればかりではないとも感じています。これはお母さんが身近で見る子どもの様子であり、学校の生活や違うコミュニティではまた違う存在であるということもあります。それは誰しもです。それで私たちはこのことがすべてとは思わず、真っ白なところから子どもたちとは向き合うようにと常に思っています。

いずれも、これらの傾向に注意して生活していければ不都合なこともないでしょうし、その辺りとどのように向き合っていくかがこれから先の留学生活では大切で、まったく留学ができないという話ではありません。

剣道ありきの生活、人生

しかし「国内サポート」を進めていくと、なんらお母さんから聞いていた伊東まなぶさんとは違って、いわゆる普通の中3男子だったのです。それは忘れ物もするかも知れないし、期限を守らないこともあるかも知れませんが、あまり気にするほどのことはないと感じました。またもしそのように感じるところがあったとしても、誰にでもそのようなところはあるので、苦手なところやできないところに注目せず、できること得意なところに注目し、自信を持って生きていくことの大切さを感じてもらえるように心がけ、サポートしていきました。彼は一にも二にも剣道中心の生活をしていることが分かりました。その剣道を中心としながらの学校生活では、剣道の稽古などがうまくいっている時は学業の成績も良く、剣道がうまく生活に入り込めなくなると学業の成績も下降傾向にあることは、保護者の方だけではなく、本人も気づいていました。「だから僕から剣道を取ったらダメになる」と本人は言います。「剣道の大会があるから留学はできない」「剣道を続けていきたいから高校でも剣道を頑張りたい」と言い続けていました。

▶大会がコロナで中止、その間の留学

8月の相談会でお母さんにお会いして、10月に留学の決意が固まり申し込みになりました。年内中に「短期留学」を経験するという予定で進めていましたが、剣道V留学の符号は一向に変わらないことで、年内の出発も延期することになりました。必ずしも留学V剣道というようにならないわけではありませんが、気持ちが留学に向かわなかったので、お母さんと相談して年内出発は見送り、中3のうちに留学ができればというようにプランを変更することになりました。年が明けて、20年からは新型コロナウイルスがまん延し始

郵便はがき

料金受取人払郵便

麹町局承認

3637

差出し有効期間
2023年7月
3日まで
（切手不要）

1 0 2 8 7 9 0

216

東京都千代田区五番町10
JBTV五番町ビル2F
学びリンク㈱　編集部

『不登校生が留学で見つけた
自分の居場所』係

フリガナ

お名前　（　　歳）（男・女）

お子様をお持ちの方　人数　　人／年齢

ご住所　〒

電話：　ご職業：

E-mail：

ご購入方法：1:書店（書店名：　）2:ネット　3:その他

※ご記入いただいた個人情報は、弊社からの郵送・Eメール等による
ご案内、記念品の発送以外には使用いたしません。

～ 学びリンク　愛読者カード ～

この度は本書をお買い上げいただき、誠にありがとうございます。
よろしければ以下の質問へのご協力をお願いいたします。
もれなく記念品をお送りいたします。

（1）本書をどのようにお知りになりましたか（複数回答可）

1. 新聞広告（　　　　　　　新聞）　2. 雑誌広告（雑誌名　　　　　　　）
3. 書店で見て　　　　　　　　　　　4. 合同相談会会場で見て
5. 知人にすすめられて
6. その他の広告など（　　　　　　　　　　　　　　　　　　　　　）

（2）本書でご参考になった章などはどこでしょうか

（3）本書をお読みになったご感想などをお聞かせください

（4）お寄せいただいたご感想などをHP等に掲載してもよろしいでしょうか

☐ 実名で可　　☐ 匿名なら可　　☐ 不可

≪ご協力ありがとうございました≫

め、予定していた剣道の大会も延期や中止になってくると、剣道への想いが下火になるからといって留学への想いが上がるわけでもありませんでした。それは、定期的なカウンセリングでも剣道への想いを語る日々は続き、次の国内ホームステイ体験でも語られ続けました。話好きなところもあって、とっても人懐っこく剣道を中心とした話の中に、海外留学の話なども交えて伝えていくと留学への淡い憧れがあることが分かりました。剣道の大会が中止になった期間を使って留学をしてみたいと思うように、彼の気持ちは変化していきました。そして3月。新型コロナウイルスが世界中で猛威を振るい始めたころ、彼は2週間の予定でニュージーランドへ旅立ちました。出発日はとても寒い日でしたが、彼は背中に汗をかくほど緊張していたことを思い出します。新型コロナウイルス感染を心配しているだろうと、到着日から都度連絡を取るよう心がけてきましたが、彼の心の変化は良い方に日に日に変わっていくことが分かりました。

▶短期留学が海外高校進学へとつながった予想外の展開

「このままこちらの高校に進学したい」と彼は言い出しました。これは想定外と言えば想定外の結果です。年内に短期留学をする目的の一つには「もしも海外の高校へ進学するとしたらまずは短期で体験しておくといい」という提案だったのが、短期留学の出発予定が3月に延びたことで、在学の中高一貫校を中退して海外の高校へ進学するという道へと舵を切り直したからです。この2週間の短期留学の経験がこの決断へ導いたことは間違いありません。先に到着していた「高校準備コース」から「高校卒業」へと目的を持って来ている同年代の子どもたち。彼らとの2週間の交流は、帰国という条件すらも忘れるほどのものだった。行ってみて、滞在してみて、生活してみて分かること、この地でやっていこうと思わせたものの正体が分かりました。日本では忘れ物が多かったり、言われたことを忘れてしまって怒られることが多く、空気を読まず白い目で見られ居心地が悪かったのです。ところが、ここニュージーランドではそんなことは気にされず自分の責任で対処できるので、人の目を気にせず自由に過ごせることで自分の居場所を見つけることができました。日本に置いてきたものを凌駕し、期待できる「正体」が海外にはあったのです。忘れ物は、留学したからといってなくなるわけではありませんが、それでも困るのは自分、誰にも責められないことに気づき、少しずつゆっくりと学習しています。

この彼の心の動きを保護者の方に伝えると、お母さんは大変喜ぶと同時に、現在の中高一貫校の退学手続きを進めるために、まずは「本人とその真意（本気度）を直接確認してからにしたい」という話でした。その家族間の話し合いの結果、帰国をせずそのまま海外高校への進学という道を選ぶことになりました。そこからの留学手続きは、日本側と現地サポートオフィスでスピーディーに進めていきました。２週間の予定が、渡航から1年が過ぎた今日まで帰国せず、海外で頑張っています。好きなこと得意なことを自分のペースで学べるところ、まわりと比較することのない社会に彼は合ったのかも知れません。21年に2年生に進級し、学校近くにある剣道教室を見つけ通い始めています。

5 グループではなく個人で

仮名　佐藤マリ子さん
状況　不登校ではないが、集団行動、学校が嫌いな公立中2女子
留学の動機　漠然とした『海外への憧れ』があった
留学先　ニュージーランド　現地中学校へ体験入学
現在　通信制高校で週5日間通学し、大学進学コースに在籍。教育学部を目指し、小学校の先生になることが夢。

母子での考えの違い

「1人での留学は不安なのでグループで行かせたい」と話すのは東京都公立中2の佐藤マリ子さんのお母さんです。合同相談会に掲示してあった「グループツアーで行く！　現地校体験プログラム（引率つき）」に興味を持ち、留学相談ブースに来られました。通信制高校を探しに来たようですが、不登校ではなくまた障害があるわけでもないお子さんでした。海外の学校の様子であったり、日本とはまるで違う環境であることも含めて、グループ、または個人で行く留学体験の良さ、それぞれの違いについて説明しました。話を聞いてみると、何でもかんでも集団で同じことをする学校自体は好きではないと。トイレも一緒、何でも金魚のフン的なつながりを強要しますよね。学校には行きたくないけれど、学校に行かないという選択なんてないと言い切るそうです。マリ子さんは「学校に行かない」という選択肢があることに気づいていませんでした。しかし彼女のように学校での生きづらさを感じながら学校生活を送っている「隠れ不登校生」がいることも分かっています。実は全国の中学生の11万人が不登校に、33万人の生徒がその予備軍と言われています（予備軍は年間欠席数が30日未満の生徒、日本財団調べ）。いわゆる学校内での同調圧力（みんなが右だから右、左とは言い出せない。行きたくもないトレイに一緒に行くなど）にどこか嫌気がさしていたのは事実です。その時、講演会で聞いた海外の学校の様子、団よりも個を重視や空気なんか読む必要はないなどが、彼女の心に響いたのでしょう。

個人留学でたくさんの英語を浴びる

だからもしも留学するならばグループなんて嫌だともお母さんに訴え出ていたようです。本人とお母さんの希望する留学のカタチに違いがあることが分かりました。もう少し両者それぞれの話を聞く必要があると思い、この合同相談会の場ではここまでとして、別の日にカウンセリングルームに来ることを約束して別れました。

その後、まずカウンセリングルームで話す前にお母さんの心配事や想いについて電話でゆっくりと聞きました。「自分は海外に行ったことすらないのでまったく分からない。だから娘が1人で行くなんて、それも中学生が。引率の方と一緒に行く方がこっちは安心して送り出せる」という話でした。私たちからは、グループツアーでないと経験できないこと、それは個人ではなかなか行くことができない場所、体験できないことができる良さがある。そして引率もついていることで安心感はある。一方、すべてみんなと一緒に行動する、時間管理もグループ行動を守らなければならないこと、日本人ばかりの中にいることで、ともすると「海外を感じる」ことが少ないかも知れないことなどを話しました。そのうえでお母さんは「娘の気持ちを聞きたい」ということでした。後日、本人からは「正直どっちがいいか迷っている」と。まずはその気持ちに寄り添い、お母さんに話した内容と、そして個人での留学について話しました。成田空港まで私たちのスタッフが見送りに行きますが、そこから1人です。それでも手荷物検査から出国審査、機内に乗り込むまでは空港職員がつき添い、機内ではキャビンアテンダントに引き継がれます。現地に到着すると現地の空港職員が入国審査、手荷物検査も同行し、最後は出迎えのスタッフに引き継ぎますので、1人っきりになることはありません。その日はホームステイ先でゆっくり過ごし、翌日学校に登校します。朝食を食べてホストマザーと一緒に、ホームステイ先から学校までの通学路を覚えながら登校します。次の日からは1人で登校します。学校に到着すると現地サポート日本人スタッフが待っています。そして日本人スタッフが現地高校のスタッフに引き継ぎを行います。何か不安なことがあったらここで何でも聞くことができます。そして、いよいよ現地高校のクラスに入って行きます。クラスで紹介されバディの近くの席に座ります。学校生活はこのバディがサポートしてくれます。授業中は「今先生の言ったこと分かった?」「次の授業は向こうの教室だから一緒に行こう」「ここがトイレで、あっちが体育館」「ランチになったら中庭で一緒に食べよう、友だちを紹介するね」とバディが声をかけてくれ、日本人以外で現地の友だちと関ります。また、すべて「英語」での会話になるので、英語に触れる機会は個人での留学の方が格段に多いです。

▶短期留学で得られること

グループツアーの留学体験でも個人でも「短期留学」で英語力が完璧に身につくものではありません。短期間での留学の醍醐味は英語力が身につくというよりは、海外の同年代の子どもたちがいったいどのような学校でスクールライフを送っているかを体験するということ。またホームステイという異文化の生活を体験し、その生活を通して日本との文化や習慣の違いを感じながら自分の居場所を探し、そして高校留学する時のイメージをつかむという目的が主流です。

彼女は、説明を聞いたうえでやっぱり「個人留学」を選択しました。お母さんもプログラムの違いを理解し、私たちのサポートに安心され、何より子どもの希望に寄り添う形となりました。その子に合った方を選ぶことが重要で、どちらがおすすめというものではありません。

彼女は、１人で行く留学を選び、成田空港でお母さんと別れてから１人で出発します。

そしてセキュリティーチェックを受け、搭乗口へと向かいます。ここまでは「日本」にいますので、そんなに不安になることはなかったそうですが、約11時間のフライトを終え、異国の地ニュージーランドに到着した瞬間、まわりは外国人ばかり、聞こえて来る言葉は英語ばかりで急に不安が襲ってきました。ニュージーランド航空の職員が航空機を降りたところからついてくれたとは言え、不安は消えません。オークランド空港で待っていてくれた出迎えスタッフに引き継がれ送迎車に乗り込み、ホームステイ先に到着しました。この「小さな冒険」を乗り切りホームステイ先に辿り着いたことが一つの自信にもなったそうです。「私、1人で来れた！」と。ここからは朝食を自分で用意することも、1人で学校へ通学することも、現地高校の授業を受けることも物おじすることなくできました。あっという間の1週間を振り返ると、いろいろなことに自信がつき、日本以外のことを知り、海外に自分の居場所があると感じたようです。この短期間に、日本では感じなかったこと、見たこともない世界をたくさん知ったことで、その何十倍も充実した留学となりました。

帰国後、今まではお母さんがしていた朝食の準備や後片づけを自らしてくれるようになり、何事も「自分から行動する」「1人で行動できる」という変化が見られたとお母さんから嬉しい報告がありました。また、留学前はみんなに合わせるというストレスを感じていたのですが、この留学で「自分らしく生きよう」と思えたことにより、今は毎日楽しく過ごしているそうです。現在通信制高校で大学進学コースに在籍し、週5日間通学していますｍ。小学校時代に本当に生徒のことを考えてくれる先生に出会い、自分もそんな先生になりたいと教育学部への進学を目指しています。また、留学を経験したことで、もっと英語が話せるようになりたいと意欲が向上し、苦手意識があった英語が今は興味のある科目へと変化したのも留学のお陰です。

6

特別ルポ

コロナ禍でも留学意志を維持

コロナ禍をめぐり、私たちの日常は大きく変化しています。世界的、そして歴史にも残る難局を、留学中あるいは留学待機組として乗り越えた子どもたちがいました。また彼らの背景には彼らと綿密に連絡を取り、サポートした国内、海外のスタッフ、ホームステイ先などがいました。ここでは、ニュージーランド（以下NZと略す）入国制限前に帰渡航した組と、入国制限で留学待機となった組を時系列に紹介し、想定外の緊急状態でも冷静に対応できた実例を紹介します。

【2019年12月〜20年3月】

2019年12月に中国は武漢からの新型コロナウイルスが発見され、年が明けた1月には日本にウイルスが上陸し始めました。

そのような中、4月からNZの高校への進学をする子どもたちはとても冷静でした。3月末に渡航する予定で準備を進めていましたが、日々現地サポートオフィスや学校、航空会社と連絡を取り合っていく中で、全参加者に対して国境封鎖の可能性について伝え、出発を早め3月初旬にすることをすすめる、という通達を出しました。私たちがサポートする子どもたちの多くは、学校が苦手な不登校の子どもたちです。この通達に対して、ほとんどの子どもたちは「卒業式は出ないから問題ない」という回答でした。なかには、もっと早く出発したいという子どももいたほどです。急きょ航空券の取り直しを行い、準備の整った子どもたちから順々に、NZへ3月中旬までには飛び立つことができました。

忘れもしません、20年3月14日。この日の成田空港第1ターミナル南ウィング。ニュージーランド航空での出発をサポートするために待ち合わせ場所で待っていました。ただでさえ1人で海外へ向かうことの緊張感はいかばかりか。加えて、この厳戒態勢の中の成田空港はいつもの様子とはまったく違いました。各地へ向かうはずの便も欠航が相次ぎ、物々しい雰囲気だったことを思い出します。そのような中、同航空のチェックインカウンターに一緒に並び、スーツケースを少しずつ少しずつ前に進めるしぐさ一つひとつが落ち着かない様子でした。チェックインカウンターに呼ばれ、スーツケースを預け、パスポートやeチケットを渡したところで、知り合いのグランドスタッフの方が「良かったですね〜、この便が最後なんですよ」と笑顔で教えてくれ、その笑顔が恐怖にすら思えた瞬間でした。今日出発する子どもたちが心配しないように「良かったね〜、助かったね！」とさらに笑顔を送ったものの、子どもたちは内心穏やかではなかったでしょう。後日談として、あの時どう思ったと聞いたところ、「うわー、何があっても戻って来られないんだと恐怖でした」と笑って語ってくれました。当時の私たちが内心恐怖に感じていたのは、まだ出発を控えていた子どもたちがいたからです。

史上初のロックダウンを体験

入国して間もなく「史上初めてのロックダウン」がNZ全土に敷かれました。英語もほとんど分からない中でのロックダウン。穏やかなホームステイ先に恵まれたことで、食事の心配などはまったくなかったものの、コミュニケーションがなかなか取れないことでの不安やストレスに悩まされていました。学校はというと、いち早くZoomによるオンライン授業を実施する体制を整えてくれたことで、1人っきりになることを免れたようです。また日本人スタッフの手厚いサポートもあり、1人として離脱することなく英語習得に努めることができました。心のケアとしては、日本からLINEでのメッセージのやり取りや電話で、モチベーションの維持、ストレスや心配事を聞くことで乗り切りました。

3月24日～4月22日の学校閉鎖中はオンライン授業で対応。4月27日までロックダウン延長、さらに再延長を経て、5月18日より学校再開。実際に学校に通学できたのは10日間くらいだけで、それ以降2カ月間はオンラインでの授業でした。この難局を乗り越えた子どもたちは、例年の子どもたちよりたくましく乗り切った自信、そして何より英語力の伸びがあると語学学校の先生方のお墨付きがありました。それは、コミュニケーションがなかなか取れないとはいえ、四六時中生活を共にするホストファミリーとのやり取りが血となり肉となっていることの証なのかも知れません。

【4月～】

日本の中学校の卒業式に出席を希望して、当初予定通りの出発を決めましたが、その卒業式も中止となり、かつ渡航も叶わなかった子どもたちがいます。4月初旬は、渡航して間もなく現地でロックダウンが敷かれたことで「あー、慌てて渡航しなくて良かった」という本心なのかは知るところではありませんでしたが、現地にいても、日本で入国制限が解除されるのを待っていても同じ「オンライン授業」でしたので、それほどの落胆は見られませんでした。しかし、オンライン授業が続いていくうちに、現地で同じ授業を受けている子どもたちとの「英語力の差」を感じ始めたという声が少しずつ聞こえ始めました。やはり、同じレッスンを受けているだけではなく、ホームステイ生活で常に英語に触れていることなどでリスニング力の違いを感じ始めていました。

「すぐにニュージーランドへ行ける」という期待とは裏腹に、NZの国境は開きません。一方NZ国内は新型コロナウイルス感染者がゼロになりましたが、日本は終息する様子が一向に見られない。5月18日より学校が再開され通学を始める子どもたちは、ソーシャルディスタンスやマスクの着用などの制限はあるものの、国による状況は大きく変化し始めました。語学学校は、ロックダウン中にできなかったイベントを取り返すかのように留学生のために実施した一方で、日本待機中の子どもたちにはオンライン授業でしかサポートができない状況がしばらく続きました。

【6月～】

6月に入り日本も緊急事態宣言が解除され、日本の学校も制限はあるものの通学が始まりました。国境が開かれることが待たれましたが、なかなかそうはなりませんでした。

一方、ロックダウンを乗り切ったNZ留学中の子どもたちは強かった。それを語学学校も子どもたちを称賛してくれ、この期間を耐え忍んだ子どもたちを連れて、1泊2日の修学旅行を企画し楽しいひと時を過ごすことができたそうです。このころには、この地域ではマスクの着用もなくなり、新型コロナウイルス感染ということも、過去のこととなりつつありました。

【9月～】

国内待機組のオンライン授業の限界は急にやってきました。時差の関係もありレッスンは、日本時間の朝7時から始まります。朝なかなか起きられずレッスンに参加できない子どもたちがチラホラ出始めました。パジャマのままレッスンを受け、ブレイクタイムの時間に横になったと思ったら、そのまま深い眠りについてしまう子どもたちもいました。日々のレッスンの状況を講師の先生から聞き、子どもたちへ個別に話し合いをしていくことでモチベーション維持に努めてきましたが、私たちもこの状況下では強く言うのにもためらいを感じました。何より、目標とする「入国制限解除」の見通しが立たないことには、頑張れのひと言では限界です。世田谷プレイスでランチをしながら、あるいは1泊2日の修学旅行を開催し子どもたちの気持ちのリフレッシュをはかり、英語力の成長を伝えるのが精いっぱいでした。

ＮＺの子どもたちは日常を取り戻しています。2年生となる編入先の現地高校を視察する時期です。学びたい教科や興味のあることを確認するためにカウンセリングを行い学校選びが始まりました。いくつか候補に挙がっている学校への視察を行い、出願先を保護者の方と確認しながら最終的に決めていきます。新型コロナウイルスの影響はさほどありません。

【12月】

ここまで長引くと誰が予想したでしょうか？　国内で待機する子どもたちに言葉でのモチベーションを維持することの限界はとうに過ぎました。次年度の入国ができなかった時に、1年留年という形を取るか、または海外留学という道を断念し、日本の通信制高校などに編入し、高2となるかなどの提案をしていくことになりました。オンラインではあるもののＮＺの高1の単位は取っていることで、どこまで互換性のある評価が得られるかの確認を通信制高校と始めました。

または、ＮＺへの入国は現在もなお叶いませんが、入国制限が解除されたほかの国への留学という道も模索し始めました。それはカナダ。20年10月20日に入国が再開されました。NZで修得した単位をカナダの高校へ移行し、どこまで認められるかは正直分かりません。ただゼロではありません。それでも、すぐにでも海外に行きたいという想いのある子どもたちにとっては、希望の光となりました。

さらに、NZの高校への留学を維持しつつ（日本でのオンライン留学でも現地にいる留学生と同等の扱い）、同国の入国制限が解除されるまでの間、カナダに語学留学し英語力をさらに上げ、次年度2月よりNZに戻り高校2年生として進級するという道はとても有効的でした。さまざまな提案をすることで、この1年を無駄にすることなく、留学やその先の進路を続けていく道も見えました。

【21年1月】

月日の流れの早さを感じます。NZ留学中の子どもたちは、今まで培ってきた経験や体験、そして乗り越えてきた英語での課題の一つひとつを糧に、慣れ親しんだ学校の先生方、そしてホームステイ先にあいさつをして、それぞれが選んだ編入先である現地高校に旅立つ時期です。私たちからもこの辛く厳しい時代（コロナ禍）を乗り越えて来た子どもたちに、最大限のエールを送り、これからもずっと寄り添っていることを告げて、そっと背中を押します。

【21年3月～4月】

▶新たに4月から高校留学を目指す子どもたち

新型コロナウイルスがまん延し始めた時に中2だった子どもたちは、この3月に中学を卒業します。4月から「海外の高校生」として歩み始めます。とはいえ、海外への渡航もままならない現状を踏まえ、海外の学校は「オンライン授業」で開始することとなりました。しかし問題は、共働き家庭で自宅に子ども1人を残し、果たして授業をきちんと受けられるか心配という声を想像し、私たちは行動に移しました。それが2つのアプローチです。

①4月から「海外の高校生」としての自覚を持ってもらうため、環境の変化がない中で自覚が芽生えることの難しさを推察し、子どもたちと一緒に「入学式」を実施することにしました。全国各地から成田空港近くのホテルに集まり、語学学校の校長先生のあいさつ、主任教師のあいさつ、日本人スタッフのあいさつや紹介、そして校内の映像や街の様子を見ると、子どもたちの目の輝きが変わってきます。そして、在校生や卒業生からのメッセージにも勇気づけられたことでしょう。現地にいる日本人留学生とのLIVE通話は、「今この瞬間」の様子が伝わり、そして自分もかつて不登校だったが今はこうしている、という「未来の自分」を感じることもできたでしょう。そして、入学式終了後はみんなで成田

空港に向かいました。まだまだ国境の開き切らない海外との玄関口は、ガラーンとした空港でしたが、チェックインカウンターや出発ゲートを見学し、いつか必ず来る出発の日を夢見て「次は誰1人欠けることなく必ずここからみんなで飛び立とう」と誓い合いました。②通学型オンライン授業の環境整備として、出発できる日まで弊社のオフィスである「世田谷プレイス」を開放し、子どもたちが通い、レッスンが受けられる環境へ変身させることにしました。このコロナ禍で密になることを避ける配慮、そして換気もしっかりと行えるようにレイアウトの大幅な変更も行いました。

私たちはリアルタイムの各国情報、留学情報をWEB上で発信しています。しかし、もっと重要なことがあることを見逃しがちなのも、このコロナ禍が故なのかも知れません。それは、日本の学校に馴染めず不登校になっている子どもたちが、留学という道を選択したことへの配慮だと思います。仮に今入国制限解除がなされたとしても、留学への準備(留学への心構え・自分の良いところの確認など)が整っていないうちに渡航することは、本来何が目的だったかを見失っているのと同じです。「なぜ留学をするのか」「実りある留学」「自信を取り戻す留学」となるためには何をしなければならないのか、よく考えなければなりません。留学するという意志が固まったら自分のできることにしっかりと向き合い、「その日」が来るまで慌てず焦らずゆっくりと進めていく心のゆとりが必要だと考えています。

第3章

主要コース別の国内準備と海外生活サポート

いろんなサポートを受けたからこそ
無事に留学を乗り越えられたのです。

図解

短期留学か海外高校卒業を目指す長期留学を選ぶ

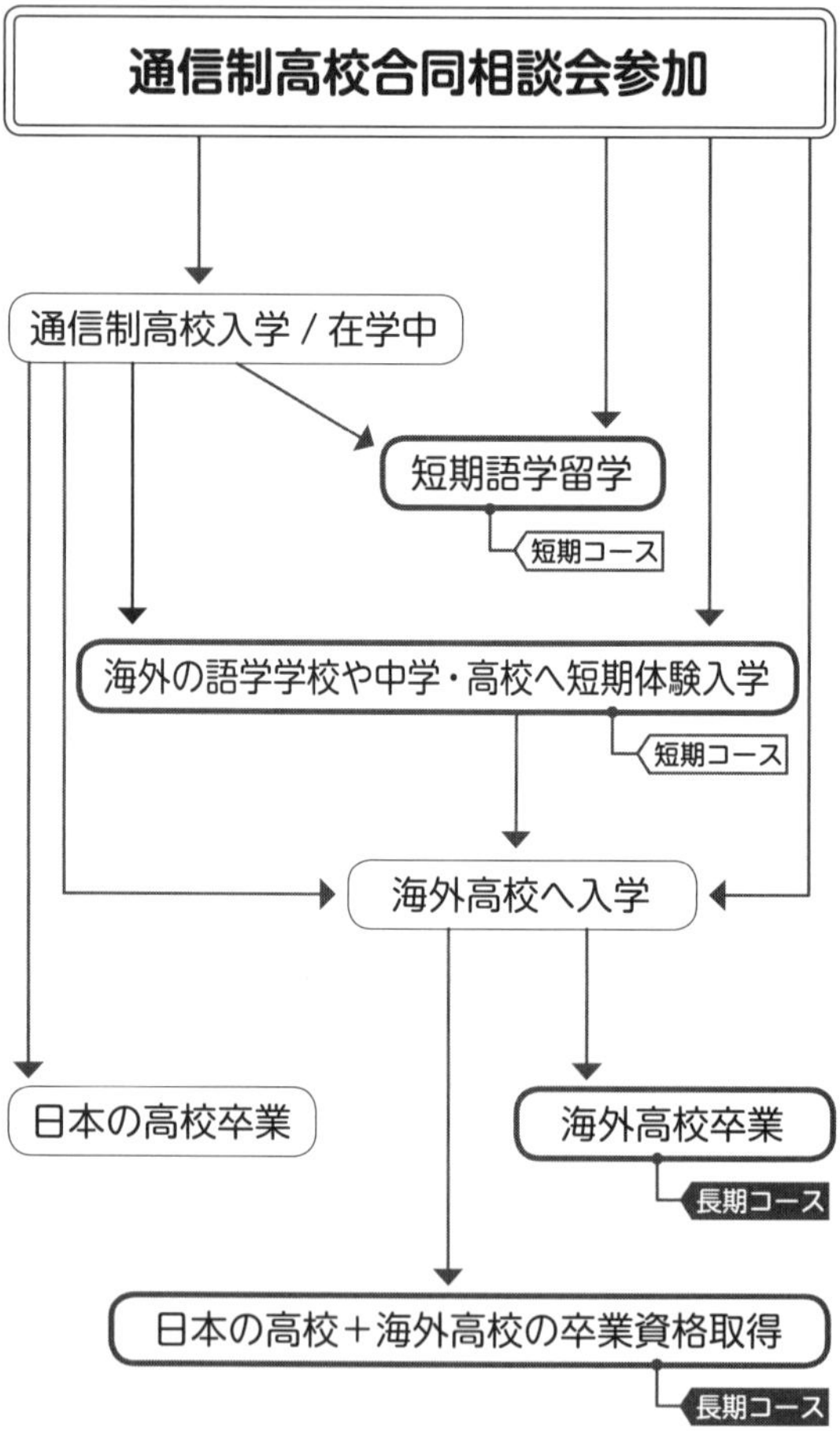

短期コース　**通信制高校に在学し日本の高校卒業資格取得を目指す**

- 中学または通信制高校在学中に短期語学、短期体験入学を経験。その貴重な学び体験後、日本の高校卒業資格を取得。

長期コース　**海外高校卒業を目指す**

- 中学生または高校１年生から体験入学を経て現地高校へ入学し海外高校卒業を目指す。
- 中学３年生～中学卒業後、または高校１年生から現地高校へ入学し海外高校卒業を目指す。
- 通信制高校に在籍しながら海外高校にも在籍し、日本の高校卒業資格取得と海外高校卒業資格取得の両方を目指す。

1 出発前準備からすでに留学はスタート

短期コース　長期コース

国内サポート

私たちは今までさまざまな子どもたちをサポートしている中で、留学を成功させるのに一番重要なことは『出発前の心の準備』であると確信しています。その心の準備をすることで、さまざまなハードルを下げ、安心して留学ができるのです。

そこで、私たちは出発までの間に乗り越えていく6つのテーマを用意しました。これらのテーマをもとに親子で一緒に、留学までのロードマップを作っていきます。

ロードマップ例

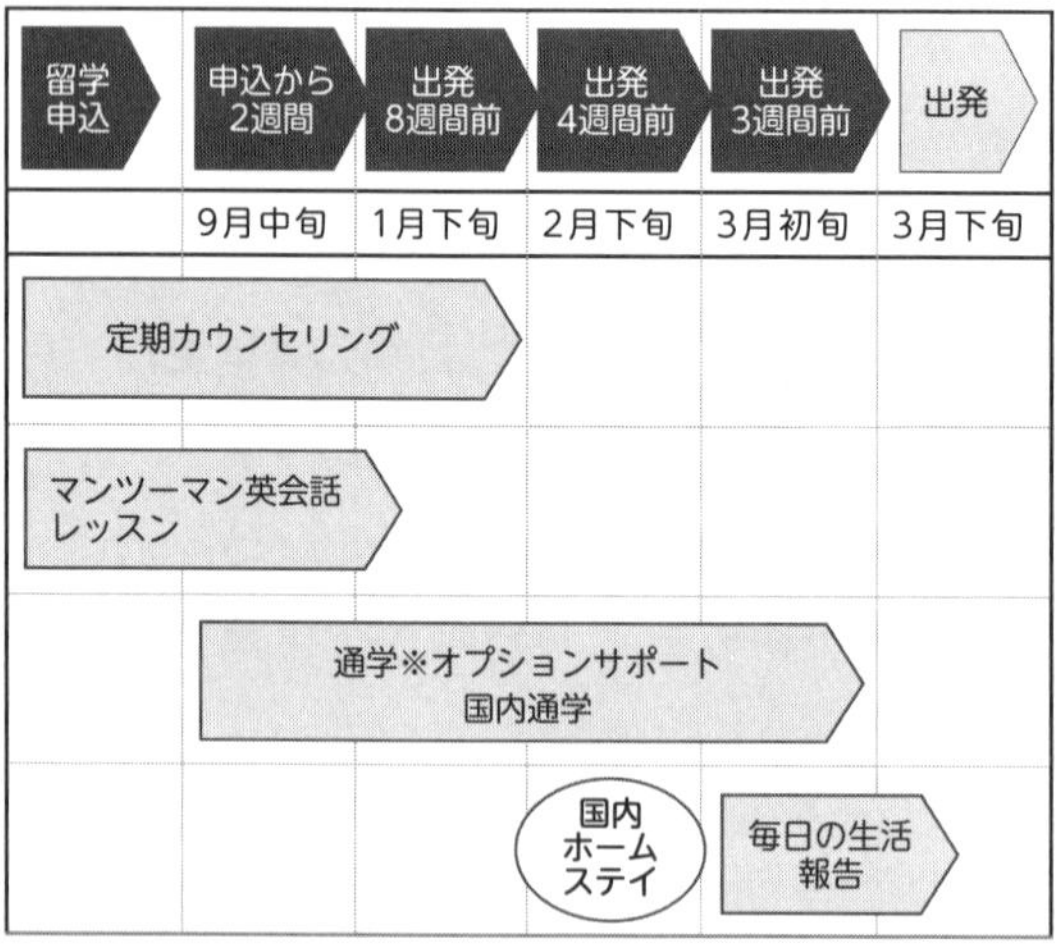

①ありのままを個別カリキュラムへ活かす

人それぞれ大切にしていることや得意なこと苦手なことがあります。ここを理解して型にはめたような流れではなく、子どものスピードや理解度に合わせてカリキュラムを作っていきます。したがってカリキュラムは一度作ったら終わりではありません。その子の進み具合などを鑑みながら、無理なく負担のないように時には変更しながら進めていきます。出発日を見据えながら、次に掲げます②〜⑤のスケジュールを確認していきます。

②定期的にカウンセリング

毎週1回決まった曜日、時間にカウンセリングを行います。出発するまで続けるため、子どもたちが続けやすいよう自宅から電話やオンラインを使って行います。カウンセリングというとあたかも難しい話や内容と捉えられがちですが、いたって普通の会話に徹して行っています。したがって特に何か準備して臨んでもらう必要はありません。「今週は何をしていたかな？」「今興味のあることって何？」「今不安に思っていることってある？」などの話からしていきます。最初のころはなかなか言葉が出てこない子どもも多いですが、回を重ねていくうちに、少しずつ少しずつ会話ができるようになっていきます。それは「この人とは話しても大丈夫」と信頼を得てきている証です。なかには電話などで話すことを嫌がる子どももいます。「どういうカタチだったらできるかな？」の会話からチャットでカウンセリングを実施したケースもあります。やり方は無数にあります。私たちはできる方法を模索し続けます。なぜなら、その後に得られる子どもたちからの「信頼」が留学への成功につながることを知っているからです。

▶③ 英会話レッスンで自己紹介から

英語が話せなくても大丈夫です。ただ少しでも英語の不安が取り除けたらどれだけいいか。英語が実際に通じるかの不安はもちろんですが、英語を話すという難しさや英語で話される恐怖にどれだけ免疫があるかをあらかじめ国内で客観的に把握しておき、可能な限り準備をして不安を取り除いておきます。マンツーマンの環境で進めていきますので、恥ずかしがることはありません。パソコンの向こうにいる英語の先生は、英語に不慣れな子どもたちに英語を教えることを楽しみにしています。好きな時間と場所でレッスンを受けることができ、朝が苦手な子でも自身のペースで受けられます。先生もいろんな方がいますので、自分に合った先生を見つけ予約を入れることで、ストレスのない英語レッスンが実現できます。「初日の学校でどのようにあいさつしたらいいんだろう」「ホームステイ先でどんな話をしたらいいんだろう」ということなども先生を相手に話してみて、通じないようなら別の言い方をしてみるなど試してみてください。何より、肩の力を抜いてリラックスした環境で、海外の人から英語で話しかけられることに少しずつ慣れていければそれで充分です。このレッスンを通して、海外の人と話す経験をすることができました、そして自分の英語の力も知ることとなりました、というところまでは誰もが通る道です。ほんの導入に過ぎません。

④国内ホームステイ体験で海外生活に近づく

「ホームステイ」を経験したことのある人はどれほどいるのでしょうか？　初めての人が大半でしょうか。いきなり海外で体験するのも刺激的ですが、日本でそんな体験を1日だけでもできたら少し安心かもと思いませんか。

東京都世田谷区の閑静な住宅街に、「世田谷プレイス」という名で国内ホームステイ体験のできる施設があります。ホームステイとはいえ日本国内ですので完全にそのままの環境にはなりませんが、私たちスタッフがホストファミリー役となり、ホームステイ先で用意される1人部屋を模倣し、子どもたちを迎え入れます。まずは私たちスタッフと一緒に食事を作ることから始めます。ホストファミリーとの生活の中で、実は家事を手伝うことも必要です。じゃがいもの皮をむいたことがない、ご飯を炊いたことがない、という子どもたちが多い中、一つでもできることが増えればコミュニケーションのきっかけになります。「ピーラーって初めて使いました。面白いです」と笑いながら言った中3だった彼は今もなお海外でホームステイ中ですが、しっかり手伝いをしているころでしょうか。自分で作った食事を共に食べる喜び。そして今まではダイニングの席に座れば黙っていても食事が出てくることに気づく。誰かが自分のために食事を作ってくれていることにも気づく。さらに「美味しいかな」と一緒に食べる人の感想も気になる。そこで親への感謝の気持ちが芽生えるなど、気づくことばかりの国内ホームステイ体験です。食べ終わっても手を合わせるだけではなく、当然食べ終わった食器をシンクに運びます。

デザートを食べるころにはお互いうちとけ、スタッフの留学体験を聞いたり、自分の話も少しずつ話し始め、笑ったり驚いたりうなずいたり多くのことを知る機会となります。私たちにとっても子どもの情報を多く得られる貴重な機会が国内ホームステイ体験です。定期的なカウンセリングでは聞き出せなかったことが、この日一緒にいる中で知ることは多いです。私たちはその知り得た情報を現地スタッフと共有し、ホームステイ先の選定に活用しています。

翌朝、朝の苦手な子どもも目覚まし時計をかけて自ら起床します。そして朝食の準備も自らします。これが海外のどのホームステイ先でもだいたい見られる場面です。中学校に通う年の子がいる家庭であれば、子どもたちは自分の朝食は自分で用意します。そのことなども伝えながら、海外でよくある朝食をここでも模倣して準備をします。朝が苦手な子どもも、この日は緊張もあってかしっかりと起きてきます。「おはよう、しっかりと時間通りに起きられたね！」と伝えます。「できた自分」に気づいてこのホームステイ体験は終了します。

⑤ 毎日の生活報告で生活リズムを整える

①～④を経ていよいよ最後です。ここまでも順調に進む子どもばかりではありません。定期的なカウンセリングも予定していた日時に待っていても連絡がないこともしばしば。マンツーマン英会話レッスンもなか

なか進まず、10回あるうち3カ月経っても2回しか終わらない。国内ホームステイ体験も親が送って来たのに、別れ際に「やっぱり帰る」と言い出す子もいます。さまざまな子どもがいましたが、今挙げた子どもたちは全員、今もなお海外の高校に進み頑張っています。

さて最後に、このテーマを乗り切れるかがとても大切だと思っています。学校に通っていない不登校生の多くは、生活リズムが乱れがちです。学校に行かないことから朝なかなか起きられない、起きて来ないことが見られます。それは、起立性調節障害という疾患が影響していることで起きられない子どももいますが、留学するという決意を固めた以上、ここを乗り越えなければ充実した留学を得るのはなかなか難しいと感じています。「留学」の実現だけをするならば、飛行機に乗って海外の学校に行けば誰でも可能です。しかし私たちが提供したい留学は、自分の居場所を見つけ、充実した留学、自信となる留学がすべてですので、生活リズムが崩れたままでの留学では、良い結果は得られません。「留学」したら朝起きられるようになるわけでもありません。よってここに留学への意識、未来への懸け橋をかける必要があると思っています。それがこのテーマの「毎日の生活報告」です。

国内ホームステイ体験が終了したら、出発の前日まで子どもにはルールを課して、毎朝8時に我々スタッフに連絡してもらいます。

「来週月曜から始めるよ～」と伝えると、月・火・水曜くらいまでは、どの子どももしっかりと準備して対応してきますが、木・金曜となってくると8時が10時、12時とだんだんに時間が遅くなったり、音信不通になったりする場合もありました。それでも「今週は3日できたね、来週は4日以上できるように頑張ろう」という声かけをして、次につながるようにしてきました。この課したことが出発直前に至っても、あるいは数日しかできていない場合は、この留学に対しての向き合い方に本人は自信が持てないのではないかとこちらは判断します。毎朝8時に私たちスタッフが連絡を待っていることを認識し、自分の留学には家族や家族以外のスタッフもみんなで応援してくれていることに気づいてもらいたいと思っています。この毎朝の生活報告が重要です。それがクリアできない場合には、出発の延期の提案もしていくことを想定しています。その覚悟で私たちもクリアできるように向き合っています。

以上、①～⑤のテーマをそれぞれのスピードで乗り越えられたことで、子どもたちもしっかりとした自信を手にして、何かトラブルがあった時にも冷静に、そしてどのように対処すれば良いかが分かるのです。あとは、困った時には現地でのサポートがあること、日本からもサポートできることを伝え、笑顔で見送るところまでが「国内サポート」すべてになります。

⑥ 出発当日は空港でお見送り

国内サポートの集大成であり海外サポートのスタートでもある空港でのお見送り。国際線独特の雰囲気にのまれ緊張が体からにじみ出ている子どもたちを迎えます。「昨日はぐっすり眠れたかな？」「食事はちゃんと摂れたかな？」などいつもと変わらない声かけで緊張を少しずつ少しずつほぐしていきます。スーツケースや手荷物バックの中身、パスポートや留学生保険の確認など、慌てず焦らずゆっくりと一緒に確認をしていきます。

そして、ここから飛行機が飛び立つまでの予定、飛び立ってから現地空港に到着するまでの予定、現地空港からホームステイ先に到着するまでの予定について一緒に確認をします。確認し終わればいよいよチェックインカウンターに。そこでも寄り添いながらしっかりと受け応えを聞いていています。スーツケースを預け、いよいよ手荷物検査場に向かいます。お見送りに来ている家族との記念写真や声かけのシーンはそっと外れて、最後に私たちからひと言。「ここまで本当に一生懸命頑張ってきたね。この頑張りはこれから挑戦する留学に必ず役立つよ。日本から応援しているよ」と背中をポンと押します。

2 留学サポートを有効に活用

短期コース　長期コース

私たちは留学生に安全でストレスの少ない子どもたちに合った教育環境を提供し、安心して学校生活に専念するための生活サポートを行っています。その内容はホームシック対応、ホストファミリーや生徒間のトラブルに対処することから、携帯電話の手配やパソコンの修理の手配など物に関するものまで広範囲にわたります。また留学生活終盤にかけては、卒業後の進路を決める進学サポートも専門的に実施しています。この項では生活サポートについて、実際に起きた事例で説明します。

生活サポート

緊急情報の共有とタイムリーな対応策

ニュージーランドのクライストチャーチ（南島）でモスク襲撃のテロ事件があった2019年のことは、まだ記憶に新しいと思います。その翌日にオークランドの北島に留学した中2の男子がいました。到着日のオークランド空港は厳戒態勢のピリピリムードの中、彼はニュージーランドに降り立ち、出迎えのハイヤーに乗り一路ホームステイ先へ。通常であればこの日はこれでゆっくり休んで翌日の学校に向けて準備をするのですが、前日のテロ事件もあり動揺しているのではと日本人の現地サポートスタッフがホストファミリー宅に出向き、彼に状況説明をしました。「北島のこの地は平穏な日々を送っていて、みんながキミの来ることを待っていた。何も心配は要らない」と。これで随分と落ち着いたようでした。翌朝は再びホストファミリー宅に迎えに行き、学校までの道のりを確認しながら一緒に学校まで向かい、現地高校の留学生担当の先生に引き渡しました。これは通常のサポートの範囲内です。ただ、学校も前日のテロ事件を重く受け止め、緊急朝礼が行われることとなり、日本人スタッフも彼と一緒に参加し、校長の話の通訳をし説明しました。校長からは「宗教、肌の色、言語による差別はしてはならない、お互いを尊重し合うように」という話があったようです。こちらも異例ですが、保護者の方にも安心してもらうように丁寧に報告をしました。もともと彼は人間関係が原因ではなく、中学受験でいわゆる燃え尽きてしまい不登校になっていました。したがってきちんと状況説明をすれば、冷静に行動をしてくれるとこちらは踏んでいました。しかしそれ以上に私たちが心配したことは、現地の状況がさらに混乱していくのではないかということでした。これが危惧に終わり、彼が無事帰国した時は心底安堵しました。

意外に重要なのが携帯の充電器

出発空港では確認しなければならないことが山ほどあるので注意が必要です。出発時刻のぎりぎりまで携帯電話の充電をする人は多いですよね。高3の彼女もその1人でした。ホームステイ先に着いて荷物の整理をしている時に気づきました。「充電器を空港に置き忘れた」。長期、短期にかかわらず不便になることは自明。彼女はすぐにメールを送って来ました。「携帯電話の充電器を忘れました」と。当然、自己責任の範囲です。どこで充電器を購入できるか現地サポートスタッフに確認したところ、彼女の使っている携帯電話がスタッフの私物である携帯電話と同じだったことで、その充電器を滞在期間中に貸し出すという珍しいサポートを行いました。成田空港で忘れた充電器は家族が回収していたので、不要なものを購入せずに済みました。ただ毎回私物の貸出しができるわけではありませんので、自己責任としてしっかり私物の管理の徹底をしてもらいます。

ノートパソコンは必須

海外高校卒業プログラムには、ノートパソコン（ラップトップ）は必須です。それはノートパソコンを使った授業があるからです。それでも忘れ物というのは残念ながら必ずあります。しかしノートパソコンを忘れるというのは珍しい例です。入学してすぐに使うわけではないというところが幸運でした。現地スタッフが電器屋に同行し、学校で使うパソコンのスペック（仕様）に沿ったものを購入することができました。また大切に使っていても壊れることはあります。日本から持ち込んだパソコンが壊れた場合、スタッフが日本のメーカーのパソコンを扱っている電器屋を探し修理が可能かを確認します。また、購入から1年以内なら「保証の範囲」かも確認。日本の保護者の方に連絡を取り、購入した際の領収書ならびに保証書を探してもらい、それを現地に送り修理をしてもらいます。それと同時に保証の範囲外であった場合を想定して、念のため加入していた留学生保険での保証の両面で対応します。

▶長期留学中には視力の変化もあり

成長期の子どもたちの身体の変化は常にありますが、大量に持ち込んだ使い捨てのコンタクトレンズの度数が合わなくなるという残念な事例がありました。スタッフが眼科に同行し処方を受け、そして適正コンタクトレンズを手に入れるまで数回同行を繰り返しました。基本、コンタクトレンズについては日本語で処方されしっかりと説明を受けたものを多めに持ち込むことの方がいいと思います。特に留学する地域によっては、簡単に手に入るものでもありません。それでも足りなくなることはあるので、その時は日本から送ってもらうということもあります。

時には現地サポートスタッフが現地高校へ説明

こだわりが強い子どもたちの中には、着替えることが嫌いな男子は珍しくありません。数日間同じ洋服を着ているなんてしょっちゅうです。ただ体育の授業はそうはいきません。それでもなかなか着替えることに納得しないケースがたまにあります。現地高校の先生も頭を抱え、現地サポートオフィスに駆け込みます。体育やアクティビティによっては安全管理のために体育着や水着に着替えないと参加できないことがありました。またこだわりだけではなく、体調面でも体育に関しては消極的になる事情があります。それは彼が中学生のころ、体育の授業で首のケガをして１カ月くらい学校を休みました。彼はその後に起立性調節障害が発症して不登校になったのです。本人としては、体育でケガをするイメージが拭いきれないところがあるようです。そのようなケースの場合は今までの日本での生活や特徴について、現地高校に詳しく説明する必要が出てきます。そこで「体育を休む理由」を今一度保護者の方から聞き、現地高校に対してレターを作成し提出します。学校側からも一定の理解を得られ、その後の学校生活がスムーズに過ごしやすい環境になるよう整えていきます。

▶病気やけがの対処

「足が痛い」と連絡がありました。歩けないことはないということなので、翌日授業が終わったら現地サポートオフィスに立ち寄ることを伝えました。患部を見ると、炎症を起こして膿が出ていたので、病院に連れて行き救急で診てもらいました。原因は巻き爪です。炎症もあったので、それが治まってから巻き爪になっている爪の一部を切り取り、爪がきれいに伸びるように処置（小さな手術）をした方が良いという診断結果になりました。炎症止めが処方され、1日2回は患部を清潔に保ち炎症を悪化させないために、温かい塩水に足をつけるようにと指導がありました。この辺りの通院には常に日本人の現地スタッフがつき添い、医師と本人の間のサポートをしました。また、留学生保険に加入していましたので、治療にかかった領収書や診断に関わる書類を取り寄せると共に、保護者の方に状況の説明を行いました。

▶生徒間のトラブルに対処

あってはならないことですが、見逃せません。学生生活を送っていると「いたずら」のようなことはたまにあります。悪気があるかないかも大切ですが、事の重大さに気づくことが再発の防止につながり、また初動の対処がいたずらをされた側、いたずらをした側にとっても「好転につながる」と思っています。その「行為」に差別や偏見の要素は見られませんでしたが、私たちの訴えに現地高校や教育委員会が動きました。学内のカフェテリアで日本人数名と彼女のルームメイトの韓国人とドイツ人の留学生グループでテーブルを囲んでいた時に、バナナやレーズンなどが現地のカナダ人男子から投げつけられたようです。一緒にいた韓国人の女子はその投げて来た男子に抗議をしたらしいのですが、聞く耳を持たなかったようで、悔し涙をうかべながら彼女は私たちに連絡をくれました。まずこのような行為を受けたことの心の傷、そして勇気を持って話してくれたことの行動力に寄り添いました。そして先に述べたように、この行為は現地高校のみならず教育委員会までを動かす問題行動として捉えられるまでになりました。彼女はホストファミリーにも泣きながら伝えたそうです。すると、ホストファミリーは「よく話してくれたね、怖かったよね。でも大丈夫。私は絶対に許さない」と学校に抗議しに出向くほど、わが子のことのように親身になって守ってくれたことは、遠い日本で暮らす保護者の方も感謝してもしきれないと話されていたのは忘れられません。その後、当該生徒への指導やカフェテリアでの監視スタッフの人数も増やして、安心して送れる学校生活の維持がはかられています。

▶最後の最後に帰り支度が間に合わない

帰国の日、スーツケースのパッキングがなかなかできない男子を心配したホストファミリーは、現地サポートオフィスにヘルプの連絡を。すぐにスタッフがホストファミリー宅に出向き、彼のスーツケースのパッキングを手伝い、迎えのハイヤーが来るまで一緒に待ちました。少し心配していた男子だったので、前日のうちにパッキングを終わらせておくんだよーと声かけはしていたのですが、できなかったようです。

彼は学校の先生との確執があり不登校になりました。その確執の原因には、時間が守れなかったり、忘れ物をしたことがあったと聞いています。また私たちには「自閉症等であるとの医師の明確な診断はない」という保護者の方からの説明が事前にあり、「ただ何をするにも時間がかかり、持ち物の管理ができない」ということも話されていました。それでスタッフを通じて現地でも声かけをしていましたが、最終的にはホストファミリーの連絡で事なきを得たようです。

進学サポート

▶現地高校卒業後の進路相談の実施

中学校で不登校だった子どもたちもこうして海外で居場所を見つけると、「その先」の進路も真剣に考え出します。それは、日本の大学へ進学するか、またはそのまま海外の大学へ進学するか、高校で学んだ専門分野を生かし社会に出るかなど、選択の幅が大きく広がります。そこで私たちはまず、高校2年生に進級した子どもたちの保護者の方を対象に、日本の大学進学を目指すうえで必要なことの説明会（帰国生入試説明会）を開きます。そこで話を聞いてもらったうえで、個別の進路相談を受けています。そして当の子どもたちには、保護者の方が見た内容と同じ説明会の動画を見てもらい、家族の中でゆっくりと焦ること慌てることのないように話し合うきっかけを作っています。また、海外の大学進学を目指すうえで必要な説明会も要望に合わせ行っています。

3 留学国内準備、海外サポートを個別解説

短期コース　長期コース

留学の良さを知り行こうと決意したものの、国内準備や海外サポートとは一体どんな内容なのか気になります。それはお子さんの状態によってさまざまです。あくまで先輩留学生の体験談として参考になる事例を取り上げました。

国内準備編

▶友だちとうまくいかず不登校に。その状況を特技が救う

東京の区立中学に通う中2女子　中1から不登校　短期留学

相談内容

中1の時、不登校に。本人からは学校に通えなくなった理由を聞けず、保護者はその原因については本当のところは分からないと言います。ただ思い当たることとしては、彼女は中学生にしては大人びているところがあり、悪いと思うことはしっかりと悪いと言う。そこを曲げることはできず、人とぶつかり合うことが中学生になってから随分と増え、まわりの友だちとうまくいかなくなり傷ついているところがあった

と思うとお母さんは言っています。また中1の秋ころから朝なかなか起きられないことが続き、中2の4月に「起立性調節障害」と診断を受け処方された薬を飲むようになったそうです。

不登校になってからは、友だちが学校に行っている間に外出することに抵抗を感じ、前向きなことを口にすることも少なくなってしまっているという子どもの留学相談でした。

サポート内容

初めて相談に来たのは両親のみ。それから本人がカウンセリングルームに来たのは3カ月くらい経ったころでした。

会ってみると、とても明るく礼儀正しい、年齢にふさわしい子どもだというのが第一印象でした。言葉遣いもとても丁寧で会話も楽しく、こんな彼女に対して一見何ら不安になることがないように思えましたが、人前で「いい子過ぎてしまう」ことが少し心配でした。その後、お母さんには「大人と話すのは楽しい」と言っていたそうです。適度の距離感、そして安全が確認できるところでは「思うことを存分に話すことができた」ようでしたので安心しました。留学準備も終盤に差しかかり「国内ホームステイ体験」の日に、緊張はしていましたが、いつものように元気に話をしてくれるようになるまではそう時間はかかりません。定期カウンセリングで聞いていた「絵が上手」について触れ、似顔絵を描いてもらうことになりました。それはそれは実物をはるかに上回るイケメンのアニメキャラに大変身しました。私たちはみんなで大喜びして彼女の才能、得意分野に魅了されました。彼女も大変喜んでくれたのは嬉しかったです。保護者の多くは、どうしてもほかの子と比較したくなるものです。できないところはできるようになって欲しいと思い、そしてそうなるように伝えます。でも私たちは、できること得意なこと好きなことに注目します。できることや得意なことの話は誰もが好きです。そしてそのひと言ひと言をじっと待ち、私たちは認めるのです。そうすることで、最初は小さな自信だったものが、やがて大きな自信へとつながっていくのです。

解説　留学中にもこの実力は発揮されたようです。ホームステイ先や学校でも似顔絵を描いてはみんなに喜ばれたと言っていました。認めてくれる社会は必ずどこかにあるはず。その社会を見つけるには行動し続けなければならないことを教えられました。一度傷ついた心を癒すことも時には必要だと思いますが、今までと同じ環境の中で切り替えるのはそう簡単ではないと思います。視野を広げてみると、居場所は日本だけではないことに気づきます。また、海外という個性を大切にする文化、物事をはっきり言う文化に出会えたことで、彼女は前に歩み始めています。

▶不登校・ひきこもりが長期的に

東京の区立中学に通う中3女子　4年間の不登校　短期留学

相談内容

彼女は小6から不登校でした。起立性調節障害により朝起きると頭痛と立ちくらみが激しい日々が続き、ベッドから起き上がれるのは朝11時～12時。学校へは通えなくなりました。通信制高校への進学を考え、合同相談会に参加。その際に、たまたま目にした「海外留学の講演会」を聞き、「起立性調節障害でも留学ができ、選ぶ国によってはその改善にもなる」という点に響いたようです。その後に留学相談ブースで「ニュージーランドの高校へ留学」という道を紹介しました。日本と海外の教育環境や考え方、人との接し方の違いを聞いて「娘は海外の方が向いている」と確信したと保護者の方は言います。

しかしながら、留学するという決断はそう簡単ではありません。留学すると決める前に国内サポートを始め、気持ちが高まってきたら留学を決意するという方法は可能でしょうか？　とお母さんより質問がありました。国内サポートは「留学することが前提」で始めるのですが、そういったお母さんの考えに寄り添うことにしました。そして、留学するかどうかは今後考えていくことにして、まずは国内サポートを始めました。保護者の方からは「生活リズムの改善」「娘との信頼関係を築いて欲しい」という依頼がありました。その真意は、いわゆる「不登校」という時間が長く人とのコミュニケーション自体を取ることが少なかったこと、留学以前にそういった人間関係を私たちのスタッフとの間でも築いて欲しいというところのようでした。

サポート内容

そこで、まずは日常的な趣味や興味がある話から始め、次に起床時間や就寝時間、熟睡できているか、途中で目が覚めるかなどを聞きながら、1日のスケジュールを把握しました。そして「今は無理せずできることからやっていこう」という言葉がけから、定期カウンセリングを通して毎朝の起床時間を報告してもらうことになりました。留学の準備は、留学へのワクワク感が感じられるような話から伝え、そのためには生活リズムを整える必要があることを少しずつ伝えていくようにしました。継続していくと生活リズムも整い始め、食欲も出てきたようです。このようにその子に合ったペースで準備を続けていき、彼女は留学するという決断をしたのです。

解説

約4年間の不登校でしたが、短期の海外留学を実現することができました。出発の前日に、今一度会う機会が訪れました。明日からの留学に向けての心の動揺や不安を取り除ければと思い、一緒にランチをしました。こちらの心配とは裏腹に「楽しみです！」と言ってくれました。そして、「今日はずっと伸ばしっぱなしだった髪の毛をばっさり切りに行きます」と。彼女は彼女なりの覚悟を持ってこの留学に臨んでいることがうかがえました。彼女の成功の鍵は「これだった」という明確なものではなく、準備を始めてからの一つひとつの積み重ねが大きな自信につながったのだと思います。それは日ごろの日常生活からも垣間見られました。保護者の方は定期カウンセリングがスタートしてからの生活の変化に気づいたそうです。生活リズムが整い始めると、共働きの母の手伝いをしてくれ、夕食作りも一緒にすることが増えたとか。そこから見えるのは次のようなことかも知れません。今までは彼女と向き合ってくれる人が少なかった。話を聞いてくれる人がいなかった。そして認めてくれる人がいなかった。それらが留学を機にクリアされ、ターニングポイントになったのかも知れません。

海外サポート編

▶体験留学をした後海外高校へ進学。苦難の道を乗り越え成長し続ける

長期不登校の中3男子　海外校体験＋語学学校プログラムに参加後、現地高校へ進学

相談内容　彼はこだわりがとても強く、好きなことには何時間も集中できるものの、そうでもないものにはまったく興味を示さない子どもでした。不登校も長かったことで、すっかりインドアな生活に慣れてしまっていました。そんな子が留学を決意しました。

現地高校では体育やアクティビティにも参加することで真っ黒に日焼けした彼がそこにはいました。彼の様子を現地スタッフが写真に納め、それを保護者の方に送ると「日焼けしたなんて小学校のころ以来です」。驚きと嬉しさが同時にやって来たとお母さんは振り返ります。言葉少ない彼でしたが、苦手なことはおいおい、得意なことや好きなことはどんどんできる学校にとても満足しているようでした。

このような体験の短期留学を終え帰国報告会で再び会うことになりました。この短期留学を経験して、海外の高校への進学という道もゼロではないと思ったと彼は言います。それでも「日本食が食べたかった」と中学生らしいことも言います。しばらくしてお母さんから連絡がありました。「海外の高校への進学を本気で考え始めたようです。一度、ご相談に乗ってくださいますか?」という短いメールでしたが、何か熱いものを感じ、すぐに会うことになりました。すると、彼は実に冷静で「ニュージーランドの高校もあるかなあと」といった具合でした。お母さんとしては、「3年間というのは想像もできないので、1年間だけでも経験してこられたらと思っています。もし1年で帰って来たら日本で高校卒業認定試験を受験する覚悟もあると本人と話しましたから」と言うのです。

伝わりづらいかも知れませんが、彼の場合には「その選択もある」と思いました。ですので、この1年間の高校留学を思う存分好きなこと得意なことを学んで楽しんで欲しいと願うばかりでした。

サポート内容

高校卒業を視野に入れている同級生の子どもたちが、次年度の進学先である現地高校を選ぶ時期に差しかかったころ、彼から相談がありました。「1年間の留学で終わらせずに、ぼくもこのまま進級したい」と。それはすでに両親にも相談していたようで、保護者の方は「想定外ですが、嬉しい想定外です」と。現地サポートスタッフによる進路カウンセリングも始まり、数校の選択が終了し現地高校への見学も終わったころ、日本にいる私たちともその学校を選んだ理由などを彼の口から聞くことができました。それによると今の語学学校の修学旅行で訪れた時に、町の様子を気に入ったようでした。またその時に「高校準備コース」の卒業生が会いに来てくれて、学校の様子や学生生活などの話をしてくれたそう。その内容と、見学に行った時のイメージが一致したのが決め手だったと言っていました。

解説　この1年、小さなことから大きいことまでさまざまな困難がありながらもなんとか今こうして留学生活を送っている彼は言葉に力がみなぎり、突破力が備わっていることがうかがえました。こだわりの強さゆえに生徒同士でのトラブルにも発展することもありましたが、根のやさしさや思いやりのあるところの方が目立っているのも、留学生活の潤滑油となっていると感じます。さらに好きなこと得意なことを伸ばし、今までできなかったことも少しずつ程よく挑戦していけるように、そして将来の道を示してあげられるよう、これからもアドバイスしていきたいと思っています。

4　短期留学は通信制高校の有効活用の一つ

短期コース

２５７校、生徒数20万６９４８人。この数字は何だと思いますか？　この数字は、全国の通信制高校の数であり、そこに通う生徒数なのです（２０２０年5月現在）。学校数はここ30年間で3倍に増加しているそうです。合同相談会にもさまざまな特徴を持つ通信制高校、そしてその学校の学習を支援するサポート校が集まっています。

私たちの留学相談にお越しになる方の中にも、「通信制高校に通っているけれど、留学ってできますか？」「通信制高校の仕組みを知り、通信制に在籍しながら留学できる方法があるとは！」「留学するのに向いている通信制高校ってありますか？」と、通信制高校（日本の高校卒業資格取得）に軸足を置きつつ、通信制高校の最大の特徴（学校に通わない）を活かし、その時間を海外留学経験、に使いたいという相談も増えてきています。

大きな壁のてっぺんに「留学」があった

このようなこともありました。「子どもにはそれぞれの歩みのスピードがあります。あのころはまだうちの子は留学に見向きもしなかったけれど、相談をしてみてきっといつかそんな時が来ると思っていました」と。そして、「あのころあの子は、大きな壁を登ろうと必死だったんだと思います。はしごをかけ一歩一歩登り、それを下から見守り応援するしかできない家族だったんですね。そして壁のてっぺんに手がかかった先に『留学』があったんだ」と、通信制高校に通い、少しだけ配慮の必要な高1男子のお母さんは言います。

ゲームに明け暮れる日々を送っていた時に、お母さんの言葉を借りれば「その時」は突然訪れたそうです。本人の留学への意欲と保護者の方とは必ずしも一致はしません。そしてその差が「保護者の方が思う不安」であることを、私たちは徐々に気づくこととなりました。彼は1週間の短期留学をすることとなり、その1週間でも単身で留学するわけなので大きな挑戦です。「1週間のうち2日だけ学校に通えればそれでいい」と保護者の方は言います。それでも彼は全過程を難なく乗り越え、素晴らしい経験をして帰って来たようです。すべては経験したものにしか分からない、それが「留学」の醍醐味ですが、この事例は通信制高校の有効な活用法の一つです。

通信制高校でも留学コースがあります。そのプログラムで海外留学に参加することも可能です。もし自分の好きなタイミングで自分に合った国や地域への留学プログラムを選びたい、希望したい場合は、私たちはその子に合った個別に留学プランを組むことができます。前述の事例からも分かるように「その時」が突然にやって来ることもあります。その瞬間を大切にしたいですね。そしてその「その時」を大切に温め、留学への一歩を踏み出し、並行して日本の通信制高校の卒業を確実にするという道も選択肢の一つとして大いにありだと思います。通信制高校の最大の強みは「学校に通わなくて良い」です。この強みを活かして留学をすることが可能です。

もっと自由に、自分らしく。そして、しなやかに。人生をデザインしたいですね。

5 留学と高校卒業が両立できる通信制高校活用法

学びリンク特別寄稿

短期コース　長期コース

通信制高校に在籍しながら海外留学を経験する生徒は、年間約１５００人（２０１９年度）を数えています。主な行き先は、カナダ、オーストラリア、ニュージーランド、アメリカ、イギリスなどの国々になっています。

通信制高校は、卒業単位を修得するために登校して授業を受けるスクーリングと、先生から出された課題に答えるレポート提出が必要になりますが、そのために中学時代や全日制高校のように毎日学校に行かなくても大丈夫です。居場所や学年、時間の制約をあまり受けずに、自分の目的に合わせてそれらを選ぶことができるのが通信制高校の最大の利点です。

時間の制約をあまり受けないことで、柔軟に使える時間が増えます。この時間を使って海外留学を経験する生徒が最近多くなっています。

通信制高校在学中の海外留学を分類すると短期留学が大半を占めます。語学研修や異文化体験など１～２週間のホームステイなどによる短期留学に参加できる機会を用意している学校が多く見受けられます（124ページ「主な通信制高校の海外留学対応」参照）。留学した生徒からビフォーアフターの話を聞くと、いろいろな経験を通じて考え方がひと回り大きくなっているように思います。

海外留学した生徒の中には、2週間程度の留学が良い経験となり、初めて日本との文化の違いを感じて「また留学してみたい」と思う人もいます。ある生徒は、3年間で4地域の留学を経験しました。この生徒の場合は、留学と留学の間や一時帰国の際に通信制高校の集中スクーリングに参加して単位を修得しています。集中スクーリングとは、3泊4日などの宿泊や1週間連続登校などによって1年分のスクーリング回数をクリアするというやり方です。また、レポート提出もオンラインで手軽にできる学校も増えてきました。

一時帰国時に集中スクーリングに参加するというやり方は、高校生時代から海外を居場所にしている人の多くが取り入れてきた方法でもあります。どんな人がいるかというと、テニス、サッカー、フィギュアスケート、バレエ、ダンス、音楽などの目的を持って海外を活動拠点にし、学校との両立をはかる人たちです。

生徒たちは留学中に現地で語学の勉強に集中し、帰国した際に高校の勉強をまとめて終わらすのが一般的なケースです。留学体験者からは「留学中は余計な心配をせずに語学だけに集中することができた」という声を聞きます。

人間関係のリセットにも役立つ!?

長期の海外留学生の中には人間関係の考え方をリセットするのに役立ったという人もいます。長期の場合は語学学校に入るのが一般的ですが、ここでの環境がいい刺激になることもあるようです。「語学学校は中国などアジア圏の人が多かったです。日本人と違って、みんな自己主張がはっきりしているんです。お互い言いたいことを言い合える関係だったので、それが自分にすごく合っていたと思います。みんな日本での私を知らないので、新しい人間関係からスタートできたのが良かったです」と話してくれた留学経験者がいました。

実は通信制高校は、長期留学にも活用しやすい仕組みになっています。外国の高校への留学が許可され、1年間の留学の場合は、現地で行った学習を日本の在籍高校の単位として36単位まで一括で認定されます。これは法令の裏づけがあり、36単位というのは高校卒業に必要な単位数76単位のほぼ半分に相当します。1年以上海外の高校で勉強していても、日本の高校卒業資格は遅れることなく手に入るという仕組みです。全日制高校の場合、長期留学をしようとすると、一度休学をして日本の高校卒業が遅れるケースがあります。

短期留学と長期留学の両方を経験した生徒は「1、2カ月の短期留学は、アクティビティを楽しんだり、異文化を知ったりするのにはいいです。しっかり語学を身につけたいのであれば長期留学がいいと思います」と話してくれました。

また現地高校で学ぶ場合は、「余裕を持って1年間程度、語学学校で準備するのが良いと思います。実際に現地高校に入学してみると当然ですが、留学生へのサポートを受けても授業についていくのが大変でしたから」とやや厳しくなる現実にも慌てない心構えには何より準備が必要なようです。

通信制高校の海外留学プログラム

通信制高校の中には海外に自校施設や語学学校と提携して、現地日本人スタッフのいる学習拠点を持っている場合もあります。また海外に姉妹校を持っている通信制高校もあります。現地日本人スタッフの存在は、短期留学では充実した時間を過ごすためのガイド役とともに安全面への配慮でも重要です。長期留学ではこれらに加えて海外での不慣れな生活を続けていくための大切な相談相手となっています。

通信制高校での海外留学は学校によって特徴があり、いくつかの事例を紹介します。

短期留学を中心に毎年多くの留学生を送り出しているのがKTCおおぞら高等学院です。カナダのバンクーバーにキャンパスがあります。希望に応じた期間を選べるほか、同学院生のためのオリジナルクラスがあるので、英語力に不安があっても大丈夫という点が、留学にチャレンジしやすい理由の一つとなっているようです。

21年度に新しく開校したワオ高校は、将来を見据えた「使える英語力」と世界基準の教養獲得を目指す「ダブルディプロマコース（1年間）」を開講しています。高2の1月末、単位互換制度を活用してオーストラリアの公・私立高校に編入し、日豪両国の卒業資格の取得を目指します。

一ツ葉高校は、系列校であるアメリカのNew York English Academy（NYEA）を活用した「英語学習プログラム」との組み合わせによる短期・長期の留学を実施しています。NYEAの英語プログラムと、提携のダンススクールのレッスンを組み合わせた「ダンス留学」や、米国大学への進学を念頭に置いたエッセイ指導などを重点的に行う「米国進学」のためのプログラムも用意しています。

通信制高校では唯一の国際バカロレア・ディプロマプログラム（IBDP）認定校となっているのがAIE国際高校です。IBDPコースでは、2年間の学習課程の中でIBディプロマ資格の取得を目指します。IBDPは高校1年生から始めるのが一般的ですが、同校では通信制・単位制の特性を活かし、高校の在籍途中からでもIBDPコースにチャレンジすることが可能です。

主な通信制高校の海外留学対応

学校名	海外留学への対応
AIE 国際高校	通信制高校唯一の国際バカロレア(IBDP)認定校。少人数制の国際教養クラスで英語力と高い思考力を育みます。
ECC 学園高校	ECCグループの運営するECCセブ校に留学、英語力を飛躍的に伸ばせるプログラムがあります。
KTC おおぞら高等学院	6カ月・2週間・1週間の3コースを準備。「異文化体験」「英語力UP」「自分探し」など目的に合わせた留学で国際感覚を養います。
鹿島学園高校 鹿島朝日高校 鹿島山北高校	オプションの海外留学コースではアメリカ、イギリス、カナダ、フィリピン、フィジーなどへの留学をサポートします。
神村学園高等部	留学期間中も神村学園高等部に在籍し、語学学習と高校卒業資格取得に向けた学習を並行して進めていくことができます。
神村学園高等部 大阪梅田学習センター	2021年度で3年目を迎えます。オーストラリア、カナダなどでの語学留学・サッカー留学をサポートしています。
トライ式高等学院	世界に触れ、英語のシャワーを浴びながらグローバルな学びが体験できるハワイ・セブ留学のプログラムあり。
長尾谷高校	カナダ、オーストラリアでの「海外語学スクーリング」制度と梅田校Eクラスのセブ島語学研修があります。
日本航空高校	留学先もさまざま。短期～長期まで好きなだけ学べます。楽しく学んでスキルアップを目指します。
一ツ葉高校	ニューヨークの語学学校と提携して、英語指導から留学までしっかりとサポートします。在学中からアメリカ留学して英語や環境に親しむこともできるコースです。
ヒューマンキャンパス高校	2週間の短期留学で現地の高校生との交流、大学訪問でのキャンパスライフ・LAのディズニーランドなど、多彩なアクティビティを体験して楽しく英語を学びます（留学制度は英会話専攻のオプションとなります）。
ルネサンス高校 ルネサンス豊田高校 ルネサンス大阪高校	登校日が少なくネット学習が中心のため、バレエ、スポーツ、語学留学などが実現できる制度があります。
ワオ高校	TOEFL® iBTのスコアアップで世界で学ぶ。日豪両方の高卒資格を取得できるダブルディプロマプログラムを用意しています。
わせがく高校	ウェイマスカレッジ（イギリス）へ、約2週間の短期留学を実施しています。教員も同行するので安心です。

第4章

経験談から覗く留学のメリットとデメリット

彼女らの声には
海外へ踏み出す勇気を絞りだし
自分の居場所を獲得した達成感、安心感
そして幸福感にあふれています。

1 リモート座談会

「海外留学で自分の居場所が見つかった！」

海外留学中、または帰国後に日本の大学生になられた3名に、不登校からの海外留学で見つけた自分の居場所について、リモートを使い大いに語ってもらいました。時差なんて何の、その、熱く語ってもらったその言葉には留学へのヒントがたくさん見つかると思います。

Nさん 中学で不登校に。留学を応援してくれる家族がいなかったら、私は今もひきこもっていたと言う。留学先のホームステイ先を厳選したNZの現役高3女子。

Zさん 高校時代に不登校を経験。短期留学後にNZの高校へ進学。卒業後帰国生入試を受験し、現在日本の大学で建築学を専攻している女子。

Cさん 高2の時に不登校に。カナダの高校へ留学後、国立大学の合格を手にし、2021年の4月から現役女子大学生。

司会進行（留学経験あり）

※NさんとZさんは留学後に私たちと知り合い、座談会に参加してもらいました。

いろんな価値観との出会いで生きる楽しさを知る

司会　みなさんそれぞれに留学する前の思いはさまざまだったと思いますが、実際に留学してみて、留学の最大のメリットって何だと思いますか？

N　私はまだ留学中ですけど（笑）、面白い人生が送れた！　いい意味でホームシックや辛い経験をしたから、これから幸せになれそう（笑）。

司会　強くなったね（笑）。

C　英語力が伸びる！　それと、ものの考え方や価値観が日本とはまったく違う！　ということに気づいたことかな。

Z　出会ったことのない価値観に触れられることじゃないですかね。例えば私の留学先であるニュージーランドは同性婚が認められていることで、ジェンダーへの考え方が日本とは違いましたね。日本ではＬＧＢＴＱ＋（性的少数者の総称）が浸透し始めているとはいえ、身近にいる方は少ないのではないかと思います。しかし、ニュージーランドではオープンにしている人も多くいて、私が受けていたある授業のクラスでは、クラスメイトの3分の1が自分らしさ、ジェンダーを主張していました。そうした中で日本では、ＬＧＢＴＱ＋の方が少ないのではなく、まだオープンにできるような雰囲気作りができていないのだなと思ったことが強く印象に残っています。

司会　頭で分かっていても、真に受け入れるということはなかなか難しそうですね。

Z　そうなんです。そういった環境下で育った友人からは大きな影響を受けました。実際、友人の中にもさまざまなジェンダーの人がいて、初めはどう接したら良いのだろうと困惑しました。でも楽しそうに毎日過ごしている友人たちを見て、私と何も変わらなく、悩みが杞憂であると学びました。また、それまで男や女でしか人を見ることができなかった自身の無知さを恥じたのを覚えていますね。それからは、新しい出会いがあるたびにジェンダーというフィルターにかけず、1人の人間として相手と接するようになった気がします。例えば、自分はりんごが好きで、友だちはりんごが嫌いだとしてもあまり気にしませんよね。そして、友だちからりんごが嫌いなことを聞いても、そうなんだ、だけで終わると思います。そんな感じで、「私、女の子が好き」と何の障害もなく言えて、そうなんだと当たり前のように返事ができる世界になればいいなと思っています。毎日新しい価値観に出会える生活は、新鮮で勉強になることも多く楽しかったですね。

自己表現ってこんなに自由なの!?

司会　**今まで生きてきた日本の常識、価値観とは違うことを、海外に出て感じたんですね。振り返れば、私も留学中にお世話になったホームステイ先の家族と、自分が生まれ育った家族の在り方がまるで違ったのには驚いたなぁ。**

N　どんなところにですか？

司会　**私の父親は家にいる時はまるで動かない（笑）人だった。でも留学していた時のホストファザーは、料理を作ったり後片づけをしたりしていた。「あー、こういう家庭っていいなあ」って、その時のことを思い出しました。**

N　日本との違いはたくさんありますね。一番良いところは「人を褒めることが多い」。そのために私は自分の良さを現地の方のおかげでたくさん知るわけです（笑）。嫌なことはすぐ忘れる、ケンカしてもすぐ仲直り。強制が少ない、自分の責任ですが自由！　何よりいろんな人たちに会える！

司会　**あげたらキリがないくらいですね。日本ではどちらかと言うとダメなところばかりを指摘され、「直せ」と言われることが多いですかね。**

C　我慢というか、まわりに合わせることを要求される不自由さが日本にはある。ところがカナダに行って、語学学校で文化や風習の違う留学生たちとコミュニケーションを取るうちに、自分の思うように表現することに目覚めていったのです。それが、ほかの留学生との衝突があった際でも逃げずに自分の考えを主張し、きちんと解決する方向へつながったのです。先ほどから人との出会いも留学の大きなメリットと出ていますが、私にも頼れるホストマザーがいました。その時も彼女に相談し、適切なアドバイスをもらいました。

Z 主張が強すぎると、日本では先生や友だちともぶつかることが多かったですね。だけどニュージーランドに行ってからは、逆にその主張がプラスに働き、分からないことは分からないとはっきり言う文化、ＹＥＳ or ＮＯが合っていたみたいです。私の場合は友だち作りをはじめ人間関係にはかなりプラスに働いたと思います。

▶充実した居場所になるかは自分次第です

司会　留学のメリットの反面、デメリットと感じたことはありますか？

N デメリットとはちょっと違うかも知れないのですが、留学中に辛かったことが…。それは英語力がなかなか上がらなかったこと。今でも辛いのですが、親がいないので誰も勉強しろなどと言っては来ませんよね。あとはやっぱりホームシックですかね。今はほとんど無いですが、一時は親とは頻繁に電話で話していました。あとしょうもないことなんですが、日本でしか見られないテレビ番組が見たい、限定商品が買えない！がとても辛かったです。今はもう乗り越えましたが（笑）、昔はインスタグラムなどSNSを見るのが辛かったです。仲の良い友だちの楽しそうな写真、例えば東京ディズニーランドの写真とかを見ることができなかった。私が友だちだと思っていた人が、向こうからしたら私は過去の友だちになっているのではと感じてしまう。寂しさゆえにマイナス思考にはまってしまっていた。ちなみに3年目になれば慣れて幸せです。あまり日本に帰りたくないかも。

司会　**自分で乗り越えなければならないいくつもの壁がある。自己責任の重さを感じながら、自身で感じている留学先のメリットを謳歌し前進できれば良し。しかしそのメリットを活かせないと途端にデメリットや辛さにつながっていく、そんな危うさが留学生活には潜んでいますね。**

Z　親がいない環境では当たり前ですが、すべて自分で判断し決断をするんですね。なかなかうまくいかないこともあり、そんな時に寄り添ってくれた仲間に救われました。特に日本人のクラスメイト。同じ年代の子が遠く離れたこの地で１人で留学している姿に驚きと感動がありました。そして何より心を開いて私を迎えてくれたことです。日本ではほとんど友だちと言える人はいなかったけれど、あの３カ月の短期留学で出会えた仲間、初めて友だちと思えた仲間ともっと一緒にいたいと思いました。

司会　その後に選択された高校生活はどうでしたか？

Z　〝勉強しすぎ〟と大変心配してくれたホストマザーを一生忘れません。私は帰国生入試で日本の大学受験の勉強と同時に高校の単位も修得しなければならなかった。だからホームステイ先でもの凄く勉強する毎日だったんです。週末になるとホストマザーがどこかへ連れ出してくれることが多くて、「私は勉強したいのに」と喧嘩になることも。ホストマザーが学校の留学生担当の先生に相談すると、その先生もなんでそんなに勉強するんだということになったんですよ（笑）。「ニュージーランドでは勉強することが一番と考える人は少ない。だけどそれがあなたのやりたいことならばやるといい」と別の先生が間に入ってくれたおかげでホストマザーも渋々理解してくれました（笑）。

司会　何ともニュージーランドらしいエピソードです。勉強すること自体は間違っていない。だからと言ってそればかりでもダメなんだ。自分にとって大切なものを知ることが最も大切で重要なことだと。

C　私は日本的な価値観に縛られない世界で自分の可能性を試したいと思い、カナダへ留学しました。現地では数えきれないほどいい思い出ができました。しかし、自分が得た「いいこと」と他人が思うことは違うんだな、と感じました。留学で得たことは英語力だけでなかったのに、留学＝英語力だけをフォーカスする価値観の違いに戸惑いましたが、今は他人の言葉や価値観は気にせずにいられます。

司会　英語力だけがそもそも留学の目的ではないですよね。

Z　そうなんです。でも、多くの日本人がそこを気にしますね。帰国子女や海外に興味のある人は「英語力ついた？」ではなく、「ニュージーランドってどんなところ？」ってまず聞いてきますよ。留学の軸は「異文化に触れる」ところだと私は思うのです。今でもそんなに英語は話せませんが（笑）、海外で過ごしてきた経験で日本を俯瞰して見ることができたのは自分にとっては大きな変化であり、メリットだと思うのです。

▶帰国したらやりたいことは自国を知る

司会　帰国後、あるいは帰国した今やりたいことは？

Z　日本をもっと知りたいと思っていました。

司会　それはなぜ？

Z　留学しているといろんな場面で、日本はどう？からはじまってさまざまな内容のことを聞かれます。留学中は詳しく説明できない自分がいました。そのため日本をしっかりと説明できるようになりたいと思いながら帰国しました。そして、現在日本の歴史や文化について学び、聞かれた時には自分の言葉で発信できるようにしています。

N　私は今年高校を卒業し、もう少しで帰国です。まずはおうちでゆっくりしたいです！そして日本食が食べたいです！(笑)

司会　毎年、学年の終了する12月には日本に一時帰国していたけれど、このコロナ禍でそれもできずにいたから、気持ちがよーく分かります。

C　帰国後は自分の英語力がどれだけ上がったか確かめてみたくて英語カフェに行きました！　あとは日本の大学に向けて受験まっしぐらでした。それでも日本食を真っ先に食べたかったですね。それと、湯船にゆっくり浸かりたかったですね。カナダではずっとシャワーでしたから(笑)。

司会　日本食最強説はここでも出てきましたね！

▶無数の価値観に触れてこそ留学

司会　留学先も経緯も違う3人に集まってもらいました。お互いに聞きたいことはありますか？

Z　Nさんは今もなお留学中なんですよね。このコロナ禍で留学して大変なこと、逆に良かった点はありますか？

N　年越しをニュージーランドで過ごしたことですね。12月が学期の終了なので、毎年そのころには日本に一時帰国してクリスマスとお正月は過ごしていましたが、このコロナ禍で帰国もできなかった。日本のお正月のテレビ番組が好きだったので見られず残念でした。ニュージーランドの年越しは実は大したことがなく、いつもの日と何も変わらなかったです。またクリスマスなのに夏という不思議な体験をしました。良かった点というか、日本に帰れなかったので、１人で決断することが多く自立しましたね。人に甘えなくなったかな。

司会　そうだよね、本来だったらクリスマスもお正月も日本で過ごしているからね。日本に帰国することはできてもその後にニュージーランドに戻れる保証はどこにもなかったから、残るという選択をするしかなかったんだよね。

Z　Cさんがカナダを選んだ理由やオススメのポイントを教えて。

C　バンクーバーに留学したんですが、その近くに「ビクトリア」というすごく綺麗な街があることを知り、ここに行きたい！と思ってカナダを選びました。そしてツアーでビクトリアに行くことができました。バンクーバーは街と自然がすぐ近くで、街並みも綺麗な都市なのでオススメです！　特にガスタウンはアイドルグループTWICEのミュージックビデオのロケ地にもなっていて、インスタ映えスポットがたくさん！

司会　バンクーバーもビクトリアもとってもステキな街だよね。

C　私は留学して価値観が変わりました。それは人との関わり方が一番大切だと考えられるようになったのです。みなさんは留学して何か変わった一面とかはありましたか？

司会　うーん深い質問だね！　Zさんはさっき触れてくれたね。

Z　はい。でも、本当に留学しなかったらこんなさまざまな価値観に出会えなかっただろうと思います。貴重な経験です。

N　価値観？　難しい質問だなぁ（笑）。人の見方などが変わりましたかね。そう、ポジティブになりました。人に嫌われちゃうんじゃないか、人にこう思われちゃうんじゃないかなど、人からどう思われているかを気にしなくなりました。それに加えて羽が生えて羽ばたくような何にでも挑戦するような行動力を持つようになりました。さらに人のことをよく考えるようになりました。他人でも真正面から向き合うようになりましたね。これもすべて自分のためで毎日自分を愛すように生きています。

司会　他人への興味が持てて、自分を愛することにつながった。

N　はい。人が好きになり、人に対しての理解度も上がり興味が持てるようになると、自分のことも深く考えるようになりましたね。自分の１番の理解者は私であると。日本では会えないような人たちと出会えるので、そこで価値観が変わりますよね。こんな人もいるんだと生きている感じがします。今まで無色だった生活が留学していろいろな色を出せるようになったし、自分を表現するようになりました。

▶留学中も今も家族への感謝

司会　ここで留学中、常に見守ってくださった家族への想いも聞かせてください。

C　まず、この留学にお金を用意してくれた両親に感謝します。この留学を経験したからこそ、春からの国立大学への入学があると思います。

N　親がいなかったら今の強い自分はいませんし、たぶん今でも私は家にひきこもっていたと思います。喧嘩もたくさんしたけど、あれもいい思い出です。感謝しかないです。

Z　本当に感謝しています。高校生という子どもから大人に近づく時は、考え方の形成に大きく関係する大事な時期かと思います。そのような時期に生活そのものが学びである留学という機会を与えてくれて、サポートしてくれた家族には感謝しかありません。当時は電話などで喧嘩も多くしましたが、あらためて考え直すと遠く離れているからこその心配もあったと思います。その恩を返せるように、これからもこの稀有な経験を活かし、家族にとって誇りとなれるよう精進したいと考えています。

司会　ちょっとうるっとしました…。同じくらいの年の子を持つ私としては、この一見答えづらい問いに対して、しっかりとご家族への想いを自分の言葉で伝えてくれたのは本当に嬉しいです。「感謝」――このワードはみんなの言葉に入っていました。そして対極的な「喧嘩」というワードも（笑）。でも、喧嘩するほど自分の人生と同じくらい大切なものに向き合ってくれた家族の方々。そんな家族がいてくれたからこそ、「今いる自分」が見つかり、そして感謝につながるのですね。

▶不登校状態の後輩たちへ

司会　最後に、今日本の学校に馴染めない子どもたちやさまざまな理由で学校に行かないという選択をしている子どもたち、みんなの愛すべき後輩たちに向けてメッセージを。

C「こうあるべきだ」と決めつけられている日本の社会に辟易していて、どうにもできないと諦めているかもしれない。でも、そんなことはない！　世界って全然違う。今の場所が合わないと思うなら世界を見てみましょうよ、って言いたい！

N　狭い世界を見るなぁー、そして逃げろー（笑）。

Z　私は留学する前、毎日何もしない生活をしていました。適当に口にした「留学しようかな」というひと言で両親がすべて手続きをしてくれて、お世辞にも世間が思い描くような海外に旅立つ立派な人ではないけど、いつの間にか海外にいました。しかし、帰国する時はたくさんのことを吸収して成長して帰って来たように感じます。なので、機会があるのなら一度海外を訪れてみるのはいいのかも知れません。しかし、私は文字通り体重もひと回り成長したのでそこには要注意です（笑）。

司会　さすがに最後もしめてくれましたね、そして笑いも忘れずに（笑）。みなさん、それぞれの学生生活を楽しんでください。ありがとうございました。

ほかの留学生保護者の方からこんな声が寄せられています

◎普段家にこもりがちの子が、家族と離れたった1人で海外に行くことを決心した時点で、すごいことだと思います。また留学中に頼れるのは自分だけ。すごくいろいろ考え努力しなければならないし、そこでしかできない貴重な体験をして成長して帰って来ました。自分も頑張ればできる!と。でも残念ながらできなかったこともありました。ここがこれから親がサポートしていかなければならないポイントだと。親子共々良い経験となりました。

◎息子のように日本の学校システム・環境に馴染めない、グループでいつもいるのが苦手などが原因で不登校に悩んでいる子どもたちはいっぱいいるのでは。帰国して日は浅いですが、渡航前後では本人の違いの差は明らかです。本人はなかなか自分自身に自信が持てていませんでしたが、今回の留学が成功体験の一つになりました。

◎初めて親から離れての2週間の1人旅。申し込むまで、いえ、申し込んでからも行けるのか? と心配していましたが、万全のサポートで親子共々安心してむしろ楽しめました。

◎起立性調節障害で朝起きられず、不登校で家にこもり家族以外の人とほとんど話すことのなかった娘ですが、1人で飛行機に乗り4週間留学して無事に帰って来ました。帰って来た後の娘の様子を見ると、本当に行かせて良かったと思いました。心配や不安はあると思いますが、わが子の可能性、ポテンシャルを信じて送り出してあげてください。

2 留学後の進路先

帰国生入試とは

海外の高校を卒業することで、日本の大学受験においては「帰国生入試」という特別枠で受験することができます。

この帰国生入試は、一般入試とは大きく異なり、主な受験科目は面接と小論文です。この帰国生入試では、抜群の英語力に加え海外で異文化を知り、親元を離れて異国の地で生活した自立性、行動力、バイタリティー、チャレンジ精神、忍耐力、柔軟性、適応力、コミュニケーション力、そして自由な発想を重視し得意を伸ばす教育から得た独創性や専門性などを身につけた生徒を求めています。これらの力は留学をすることで体験できる６つの機会を通して身につけることができます。①知らなかったことを知る ②未知の世界に飛び込む ③今までとは違う文化に触れる ④逃げずに苦労する ⑤自分を見つめ直す ⑥外から日本を見る、という6つの機会です。一般入試の学科試験をパスした学生ばかりではなく、このような機会を体験し世界に通用する人材（グローバルな人材）を多く入学させたい時代になってきました。

　大学や学科により受験科目は異なります。面接と小論文のほかに、現代文や数学などの科目を受ける必要がある大学・学科もありますので、簡単に入学できるわけではありません。しかし海外で2年〜3年間英語漬けになり、しっかり単位を修得すれば、決して高い壁ではありません。帰国生入試を実施している大学は、東京大学や京都大学などの国公立をはじめ、早慶上智、GMARCH、日東駒専、関関同立など名だたる大学が名を連ねています。留学する前は不登校で目標もなく、大学進学にはまったく興味を示していなかった子どもたちも、この6つの機会を経験することで視野が広がり価値観が変わり、大学進学の目標を立て合格を勝ち取ったケースがいくつもあります。

　また、進学は日本の大学だけでは留まりません。海外の大学進学という道も最近は多くなってきました。また、海外の高校の選択科目の多くは日本とは違い社会で通用するスキルまで学ぶことができます。得意を伸ばす教育を受け、卒業後は大学進学だけでなく、高校で身につけたスキルで社会に出ることも十分可能です。このように海外の高校を卒業することは、たくさんの選択肢を得ることができるとも言えます。

海外の大学へ進む

一般的に日本の高校を卒業してから海外の大学へ進学する場合、大きく立ちはだかるのは英語力の壁です。ネイティブの学生と一緒に大学の難しい講義を理解しなければならないため、相当な英語力が求められます。ほとんどの留学生は1年ほど英語だけを学び英語力がついてからようやく大学生になります。そのため多くの場合、卒業するまで1年多くかかることになります。一方、海外の高校を卒業した子どもたちは、もう英語の心配はありません。自信を持ってすぐに大学へ入学できます。これも海外の高校に留学したメリットと言えます。

海外の大学で学ぶことはメリットも多くあります。世界の最先端をいく専攻をその本場で学ぶことができます。日本には馴染みのない専攻も多くあります。例えば「女性学」「宝石鑑定学」など多種多様にありますので、選択肢も広がります。また、海外の大学は世界中から留学生が集まってきますのでグローバルな感覚が身につきます。卒業後はそのまま海外で就職も目指せますし、日本の企業でも英語力があり専門スキルを身につけた人材を求めています。

海外の大学はかなり実践的な授業です。一方通行的な講義ではなく、多くの教授は学生たちに「なぜ」を常に問いかけます。そのなぜの答えを導き出すため学生たちは調べ、考え、自分の言葉で伝えます。成績は試験結果だけでなく、日ごろの発言頻度やその内容をより重視します。以前私が日本の高校生をアメリカ研修に連れて行った際、アメリカの大学で授業を聴講させてもらいました。まず教授はクラスにいる全学生に向かって「これはなぜこうなったと思う?」と問いかけました。すると1人の学生が自分の意見を言い始め、それに続き次々と学生たちが自分の意見を発言し始めました。教授は一人ひとりの意見をメモしながら、時に賛成・反対の意見を投げかけながら進んでいきます。気がつけばこの授業では、教授からの発信より学生たちの発言の方が断然多かったことに驚きました。学生たちはこの授業で発言するために、事前に下調べをし自分の意見をまとめたうえで、授業に臨んでいました。この積み重ねで身につけたスキルが社会に出て大きく役に立つのだと思います。海外の大学だからこそ学べるものがあるのです。

海外の高校で得た経験、学んだ多様化した文化、人とのかかわり方や協同で成すことの大切さなどが活かせるのは、日本の大学に進学することだけではないことがお分かりになられたと思います。

何より一番大事なのは「自分らしくいる」ことだと思います。

日本の教育制度を否定したいわけではありません。海外の大学を推奨するわけでもありません。自分らしくいられる居場所はどこなのだろう。得意なこと好きなことを学んだ世界中の仲間はどんな未来に向かうのだろうか。日本に戻りまた日本の教育に触れるのもよし、自分で見つけた居場所にい続けるのもよし。思い出すのも嫌かも知れませんが、視野が狭まってしまっていた不登校のころ、自分の人生なんて…と自暴自棄になってしまったこともあったかも知れません。しかし道はあった。海外の高校という選択をし、苦労を乗り越え数えきれない素晴らしい経験と出会いがあったからこそ、高校卒業後の進路の幅が広がったのです。

ニュージーランドの高校留学後の進路先一覧

※他国の高校を卒業した場合は進路先が異なります。

国内

大学

- 青山学院大学
- 桜美林大学
- 学習院大学
- 川村学園女子大学
- 関西外語大学
- 関西学院大学
- 関西大学
- 関東学院大学
- 京都外語大学
- 京都産業大学
- 京都芸術大学
- 京都大学
- 金城学院大学
- 國學院大学
- 駒澤大学
- 上智大学
- 西南学院大学
- 専修大学
- 多摩美術大学
- 中央大学
- 中京大学
- テンプル大学
- 東京国際大学
- 東京農業大学
- 獨協大学
- 長崎外語大学
- 名古屋市立大学
- 名古屋外語大学
- 名古屋商科大学
- 日本大学
- 兵庫産業短期大学
- 広島工業大学
- 明治学院大学
- 横浜市立大学
- 立教大学
- 立命館大学
- 早稲田大学

他

専門学校

- 東京モード学園
- 東京観光専門学校

海外

大学	
The University of Waikato	ニュージーランド
Victoria University	オーストラリア
Victoria University of Wellington	ニュージーランド
The University of Auckland	ニュージーランド
Swinburne University of Technology	オーストラリア
Cascadia Community College	アメリカ / 2年制大学
University of Otago	ニュージーランド
Auckland University of Technology	ニュージーランド
National Taiwan Normal University	台湾

専門学校その他	
Wellington Polytechnic	ニュージーランド / 専門学校
Taylor's　College	オーストラリア・ニュージーランド ファンデーションコース＊1

＊1：大学へ入学する前の進学準備コース。
この学校で大学進学に必要な学力を身につけます。

第5章

高校留学の基本データ

高校留学の仕組みや
国別教育制度をおさらいし
そして実際にかかる費用はいくらかを
おさえておきましょう。

1 留学の仕組みや費用を知ろう

留学には、英語を学ぶための留学や海外の中学・高校に体験入学する留学、海外の高校へ進学する留学、海外の大学や専門学校へ進学する留学、そしてワーキングホリデーなどさまざまなタイプがあります。また期間も、1週間から年単位で留学するものまであります。

ここでは、大きく3つに分けてご説明いたします。

1つ目は、短期間で語学留学をするタイプです。受け入れる学校は、留学生のための英語を学ぶ学校である語学学校で、最短1週間から留学をすることが可能です。滞在方法はホームステイまたは学生寮に滞在します。この語学学校には世界中から英語を母国語としない留学生が集まってきます。語学学校では超初心者クラスから細かくレベル分けされているため、英語に自信がなくても自分の英語レベルに合わせたクラスに入学することができますので、心配する必要はありません。

滞在方法でホームステイを希望される場合は、子どもの日本での状況（不登校や障害、特性など）を理解してもらえるファミリーを紹介しています。

2つ目は、海外の中学・高校に体験入学するタイプです。最短1週間から可能です。日本の学校が合わない子どもたちに、個性を尊重し得意を伸ばす海外の学校教育を、実際に自分の目で見て体験することで、「進学先としての海外の高校」と本格的に考える気持ちが芽生える子どもも少なくありません。海外の高校は音楽や美術、料理、演劇、スポーツ、コンピュータなど英語をあまり使わなくても学べる選択科目もたくさんあります。ここでの最大の目的は「海外の教育を見てみる」という体験ですので、英語力は問われません。

この2つの短期間の留学でも、子どもたちの価値観が変わり、1人でやり遂げたという自信が芽生え、帰国後に大きく変化する子どもは多くいます。

3つ目は、海外の高校へ進学するタイプです。中学卒業後あるいは高校1年生〜2年生時に海外の高校へ入学し卒業を目指します。

海外の高校を卒業する魅力とは

海外の高校は単位制となっていますので、この3年間は自分の得意な科目や興味のある科目、将来必要となる科目を選択して卒業に必要な単位を修得していきます。日本のような大学受験に向けた受験戦争の高校生活ではなく、将来どのような道に進むか、進みたいのかをバラエティー豊かな選択科目から選びます。科目によってはかなり専門的に学ぶことができますので、必ずしも大学進学せず高校卒業後すぐに社会に出ても十分通用します。したがって、生徒たちの選択肢は大学進学だけではないため、受験戦争のようなピリピリ感がなく伸び伸びとした高校生活を送ることができます。卒業後に帰国生入試で日本の大学へ進学するという道だけでなく、今まで考えもつかなかったことに興味が湧き、その専門分野の専門学校の道へ突き進むこともできますし、そのまま社会に出て就職するという道もあります。そういったいろいろな道があるのも自由に選択ができる海外ならではのメリットだと思います。

行きたい国の教育制度を知りたい

ここで、国や地域により入学時期や教育制度、留学費用などが異なりますので、主要国について説明します。

入学日

- **アメリカ、カナダ、イギリス** 9月（カナダは2月も入学可能な学校があります）。
- **オーストラリア、ニュージーランド** 2月（4月、7月、10月でも入学可能な場合があります)。

教育制度

・**アメリカ**　義務教育は6歳～18歳の12年間です。アメリカのハイスクールは日本の中3に当たる学年から4年間で卒業となります。

・**カナダ**　州によって義務教育の期間が異なりますが、多くは5歳(6歳)～17歳(18歳)となります。また、卒業するためには州の統一試験に合格する必要があり、またそれに加えてボランティア活動時間を必須としている州もあります。

・**イギリス**　5歳～16歳の11年間が義務教育です。17歳～18歳は主に大学進学へ向けてIB試験やAレベル試験に向けて学びます。

・**オーストラリア**　義務教育は日本の高1に当たる15歳(16歳)までで、日本の高校2年生～3年生に当たる学年で大学進学や専門学校入学、就職に向けて必要な科目を選択して学びます。この2年間は毎年の年度末に州の統一試験を受けます。

・**ニュージーランド**　義務教育は日本の中3に当たる14歳(15歳)までです。その後は日本と同じように3年間で中等教育(日本でいう高校)を修了します。この3年間では大学進学や専門学校入学、就職に向けて必要な科目を選択して学びます。毎年の年度末に全国統一試験を受けます。

学期制

・アメリカ、カナダ、イギリス：3学期制（カナダは2学期制もあります）。

1学期：9月〜12月　2学期：1月〜3月　3学期：4月〜6月

・オーストラリア、ニュージーランド：4学期制

1学期：2月〜4月　2学期：4月〜7月　3学期：7月〜9月

4学期：10月〜12月

入学基準

海外の高校には日本のような入学試験はありませんので、中学3年間の成績や出席率で合否が判断されます。しかし、過去の成績や出席率はあまり重視せず、これからのやる気を尊重し入学を許可してくれる場合もあります。不登校で成績がつかず出席率が悪くても、「これから」を重視し入学を認めてくれる学校もありますので、不登校だったとしても入学は可能です。

英語力

海外の高校では当然ですが、すべて英語で授業が行われます。英語力が足りない場合は、海外の高校に通う前に私立の語学学校の英語コースに入学し英語力を上げるところからスタートする、または高校内に設置されている英語を母国語としない留学生のための英語ク

ラス（ESL：English as a Second Language）からスタートする場合があります。これは国や地域、学校により異なりますが、英語クラス（ESL）を受講しながらほかの科目を受講し単位を修得できる学校もあります。

留学する前は、英語力が十分でないのは当たり前です。英語力に自信がないからと言って留学を諦める必要はありません。今までの子どもたちもほぼ全員、英語力がない状態から留学をしています。もちろん出発前にできる限りのサポートをしながら英語に触れる機会を用意しています。留学も中盤となると現地で毎日1日中英語漬けになることで、英語嫌いだった子も英語ができなかった子も自然と英語ができるようになっていきます。

留学生特別支援プログラム@ニュージーランドとは

これまで説明してきたように、海外の高校への入学は、中学3年間の成績や出席率で合否が決まるのが一般的ですが、不登校でも留学は可能であることはお分かりいただけたと思います。しかしながら、親元を離れて言葉も違う土地で、今まで学校に通えなかった子どもがいきなり海外の高校の授業についていくことはそんな簡単なことではありません。むしろ最初の1年目で挫折してしまうケースが多いのです。一番大変な1年目を乗り越えることができればそのまま卒業まで辿り着きやすいのです。最初の1年目で挫折しないように考えられたプログラムが、ニュージーランドにある留学生特別支援プログラムです。

このプログラムは申し込みをしてから出発前まで、ゆっくりと国内サポートに時間をかけて出発まで一緒に準備をしていきます。そして、3月末から翌年1月末までの間を高校1年生として留学生が対象の語学学校に通います。午前中は英語の勉強、午後からはニュージーランド教育省が認可している高校1年生の単位修得の勉強をします。先生は留学生が分かりやすいスピードで理解しやすい表現にして教えてくれるため、生徒たちはとても理解しやすいです。まわりの生徒たちも留学生ですので、気持ち的にも楽です。そうやって1年間過ごすことでストレスなく英語の習得と高校1年生の単位が無理なく修得できるのです。2年目からは現地の高校へ編入します。ここからはネイティブの環境に入ってももう心配はいりません。あとは順調に3年目を迎え卒業していきます。

実は、どの国の高校留学でも入学時期が日本とは異なるため、日本の同学年の生徒と比べると必ず1学年遅れての卒業となりますが、この留学生特別支援プログラムは、中学卒業と同時（3月末）に入学できますので学年を下げることなく、そして無理なく3年間で卒業できるのもメリットの一つです。月日を数えてみればトータル２年９カ月の高校留学で同国の高校卒業資格を手にします。そして、帰国生入試の制度を活用し日本の大学へ進学、またはニュージーランドの大学、その他の国の大学や大学ばかりではなく専門学校という道もあり、また高校で学んだ専門知識と抜群の英語力を持って社会へ出るなど、進路の選択は無数に広がります。

費用（年間／2021年5月現在）
・**ニュージーランド**：３００万円～４００万円　・**オーストラリア**：３２０万円～４５０万円
・**カナダ**：３２０万円～５００万円　・**アメリカ**：４００万円～７５０万円
・**イギリス**：５００万円～８００万円
※都市、学校（公立／私立）により料金に幅が生じます。
※入学金、授業料、滞在費、食費、制服代、教材費、後見人費用、サポート費など含まれます。

2　個別無料カウンセリングの活用法

私たちは、無料で留学のカウンセリング（留学相談）を行っております。カウンセリング方法は、お子さんの希望や住まいなど家庭の事情に合わせて、できる限り柔軟な方法を案内しています。まだ留学を決めかねている段階で情報だけでも知っておきたいという相談も受けつけていますので、遠慮なくご利用ください。

私たちへのアクセスはいろいろありますので、ご希望に合った方法をお選びください。

・**カウンセリングルーム**：対面でカウンセリングを行います（完全予約制）。関東エリアは東京23区内に2か所（世田谷と秋葉原）、関西エリアは大阪市（東梅田）に1か所あります。いずれも最寄駅から徒歩5分以内です。

・**「通信制高校合同相談会」の留学相談ブース**：全国約30か所（北は仙台、南は沖縄）で開催しています（予約不要）。

・**オンラインカウンセリング**：SkypeやZoomを使用して行います。

・**電話カウンセリング**：フリーダイヤル（0120-888-293）をご利用ください。

・**メール／LINEカウンセリング**：お気軽に相談いただけます。

なお世田谷プレイス（カウンセリングルーム&研修所）は、国内研修施設としても活用しています。出発前の国内ホームステイ体験や国内留学をこの施設内で実施しています。

この施設は海外のホームステイ先をイメージした造りになっており、事前に部屋の様子を見ておくことや宿泊してもらうことで、特に初めてホームステイを経験するお子さんや保護者のみなさんは安心されるようです。

執筆を終えて

「人はさまざまであり進路選択は無数にある」という一文が頭を駆け巡ります。人生は一度きりです。再び訪れない〝この1年〟だからこそ充実し満足のいく1年にしたいと誰もが思うのです。「野球選手になりたい」「お花屋さんになりたい」と思っていた幼少時代、その職業に辿り着けた人は果たしてどれだけいるのでしょうか? またそのほとんどの人はその職業に就かない(就けない)ことで果たして不幸なのでしょうか?

「道」は一つだけではありません。歩んで行った先に道は二つに分かれたとします。そして一方の道は行き止まり。だったら戻ってもう一つの道に進めばいいのです。一度しかない人生だけれども、前を向くことを忘れないことがとても大切ではないかと思うのです。

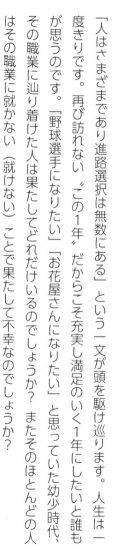

このような話をしてくださったお母さんを思い出します。

「わが子が不登校になったことで、家族みんなでよく泣きそして悩みました。それでも悪いことばかりではありませんでした。あの子を中心とした家族の絆の強さや人のやさしさに気づくことができたのもあの子のおかげです。また同じ境遇の保護者のみなさんとの交流で絶対に出会えなかったはずの方々に、やさしくしていただき愛や勇気の大切さを学びました。そしてターニングポイントさんにも出会うことができました。わが子に感謝したいです」と。欠けているところがあればそれを補うことでさらに強くなる、まるでアメーバのように生き方もさまざまです。これが正解！　というものがない以上、自分らしく、しなやかに生きられる道を歩めたらと思うのです。そんなみなさんにこれからも伴走者のように寄り添いながら応援していきたいと思います。

第1章3項「留学は保護者も自立するチャンス」は小生のエピソードです。親の想いと心の動揺を限りある紙面に投入しました。他方で息子はどんな気持ちで「スカイダイビングやるわ」という11文字を送ってきたのかと振り返ります。この11文字にはかなりの覚悟・挑戦・自立が詰まっていたのだと思います。海外の地でもがき苦しみながらも、大人への階段を一歩一歩登っていたのだと思うと、親のできること、それは応援が最大のサポートである、という結論に至ります。

このたびはこのような書籍出版のお話をいただき、今までに出会いました子どもたち、そしてその家族のみなさんの顔を一つひとつ思い返す、とても貴重な機会となりました。2人として同じ特性や気質の子どもはおらず、留学に向けての思いもさまざまでした。それでも共通しているのは、「自分のいたいと思える居場所」を模索しているところです。そして「留学で見つけた自分の居場所」は海外にあったのです。

執筆にあたり、このような最高の機会をくださり、また書籍のタイトルがなかなか決まらず、私に「降臨」して来るまで辛抱強く待ってくださいました学びリンク（株）社長の山口様に感謝申し上げます。またこのコロナ禍において直接打合わせすることも叶わず、今ならではのオンラインミーティングを繰り返し、最後まで根気強くおつき合いくださいました編集の堀田様、スタッフのみなさま、ありがとうございました。そしてこの書籍の核となり華となり登場してくださった留学生のみんなに心から感謝です。みなさんからの「自分たちの経験が役に立てば」という言葉が、この執筆活動の支えになったことは間違いありません。

これからもみなさんに寄り添ってまいります。

2021年春（緊急事態宣言下の自宅の小さな書斎にて）

（株）ターニングポイント共同代表　酒井　邦彦

著者

赤井　知一（あかい　ともかず）
留学カウンセラー、(株)ターニングポイント代表

高１でアメリカ短期留学、大学卒業後に２年間のオーストラリア留学を経験する。その後25年以上にわたり留学サポートに従事し、その間5,000人以上の留学生を送り出す。現在は不登校や障害を持った子どもたちに留学という選択を提案。

また、通信制高校合同相談会では不登校生に向けた留学講演会や留学個別相談を行い、多くの不登校生の留学を実現させている。

酒井　邦彦（さかい　くにひこ）
留学カウンセラー、(株)ターニングポイント共同代表

オーストラリアで１年間の海外生活を経験。多くの不登校生と向き合い、「慌てず、焦らず、ゆっくりと」をモットーに留学を通して自分の居場所探しを提案している。

留学経験で得たマイノリティー(少数派)の視点を忘れず、日常生活にも活かしている。

不登校生が留学で見つけた自分の居場所

2021年 7月4日　初版第１刷発行

著　者　　赤井 知一　酒井 邦彦
発行人　　山口 教雄
発行所　　学びリンク株式会社
〒102-0076　東京都千代田区五番町10　JBTV五番町ビル2階
電話 03-5226-5256　FAX 03-5226-5257
ホームページ　http://manabilink.co.jp
ポータルサイト　https://stepup-school.net

印刷・製本　株式会社 シナノ パブリッシング プレス
表紙・イラスト・本文デザイン　長谷川 晴香

ISBN 978-4-908555-45-9